Spanish Is Fun

Lively Lessons for Beginners

Book A

Heywood Wald, Ph.D.
Former Assistant Principal
Foreign Language Department
Martin Van Buren High School
New York City

Lori Langer de Ramirez, Ed.D.
http://www.miscositas.com

AMSCO SCHOOL PUBLICATIONS, INC.,
a division of Perfection Learning®

Cover and text design by Delgado and Company, Inc.
Illustrations by: Beehive Illustration: Moreno Chiacchiera, Gemma Hastilow,
   Paul Moran, Aleksandar Sotirovski, Matt Ward; Peter Bull Studio
Text composition by Progressive Information Technologies
Cover and part opener photographs:
   Boy with soccer ball ©iStockphoto.com / Aptyp_koK
   Group of casual happy friends ©iStockphoto.com / Andresr
   Beautiful students studying on the floor ©iStockphoto.com / Andresr

Please visit our Web sites at:
www.amscopub.com and ***www.perfectionlearning.com***

When ordering this book, please specify:

ISBN 978-1-63419-933-9 or **1531901**

1 2 3 4 5 6 7 8 9 10 EBM   21 20 19 18 17 16 15

Printed in the United States of America

Preface

SPANISH IS FUN, BOOK A offers an introductory program that makes language acquisition a natural, personalized, enjoyable, and rewarding experience. The book provides all the elements for a one-year course.

The book is designed to help students attain Proficiency Level 1 in four basic skills—speaking, listening, reading, and writing—developed through enjoyable materials in visually focused topical contexts that students can easily relate to their own experiences. Students are asked meaningful questions that require them to speak about their daily lives, express their opinions, and supply real information.

SPANISH IS FUN, BOOK A covers the material found in the first half of **BOOK 1**. It consists of three parts, each one containing four lessons followed by a *Repaso*, in which structure is reviewed and practiced through various *Actividades*—games, puzzles, and exercises leading to interactive conversation.

Each lesson includes a step-by-step sequence of elements designed to make the materials immediately accessible as well as give students the feeling that they can have fun learning and practicing their Spanish.

Vocabulary and Cognate Connection

Each lesson begins with topically related sets of illustrations that convey the meanings of new words in Spanish without recourse to English. This device enables students to make a direct and vivid association between the Spanish terms and their meanings.

Since more than half of all English words are derived from Latin, there is an important relationship between Spanish and English vocabulary. Exercises in derivations are designed to improve the student's command of both Spanish and English.

Structures

SPANISH IS FUN, BOOK A uses a simple, straightforward, guided presentation of new structural elements. These elements are introduced in small learning components—one at a time—and are directly followed by appropriate *Actividades*, many of them visually cued, personalized, and communicative. Students thus gain a feeling of accomplishment and success by making their own discoveries and formulating their own conclusions.

Conversation

To encourage students to use Spanish for communication and self-expression, each lesson includes a conversation—sometimes practical, sometimes humorous. All conversations are illustrated in cartoon-strip fashion to provide a sense of realism. Conversations are followed by dialog exercises, with students filling empty "balloons" with appropriate bits of dialog. These dialogues serve as springboards for additional personalized conversation.

Reading

Each lesson (after the first) contains a short, entertaining narrative or playlet that features new structural elements and vocabulary and reinforces previously learned grammar and expressions. These passages deal with topics that are related to the everyday experiences of today's student generation. Cognates and near-cognates are used extensively.

Culture

Each lesson is followed by a *Cápsula cultural*. These twelve *cápsulas*, most of them illustrated, offer students picturesque views and insights into well-known and lesser-known aspects of Hispanic culture.

Cuaderno

SPANISH IS FUN, BOOK A has a companion workbook, **CUADERNO DE EJERCICIOS**, which features additional writing practice and stimulating puzzles to supplement the textbook exercises.

Teacher's Manual and Key

A separate *Teacher's Manual and Key* provides suggestions for teaching all elements in the book, additional oral practice materials, quizzes and unit tests, two achievement tests, and a complete Key to all exercises, puzzles, quizzes, and unit tests.

The Authors

Contents

Tercera Parte

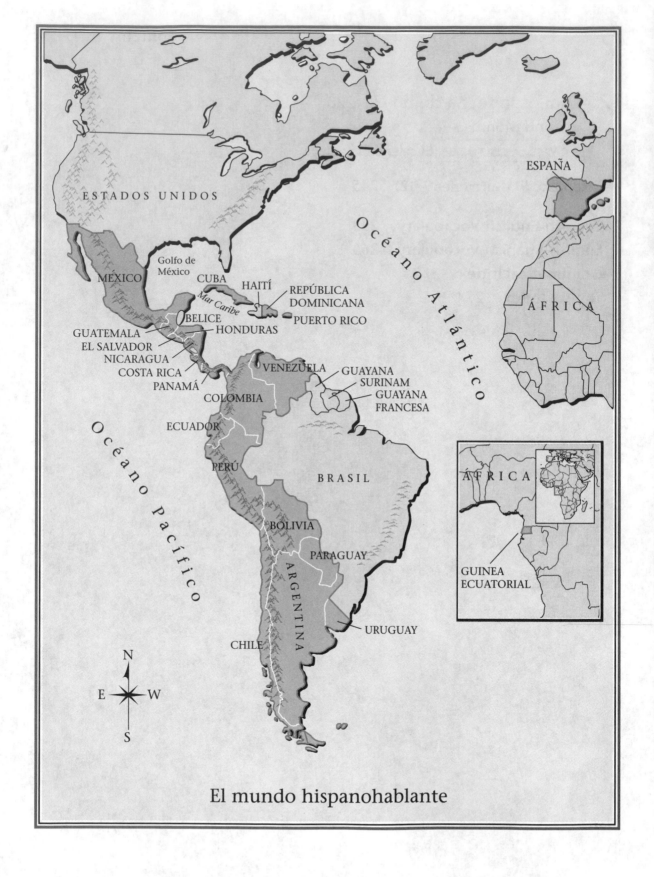

El mundo hispanohablante

Primera Parte

1

El español y el inglés

You'll have a lot of fun learning the Spanish language, and it will probably be easier than you think. Do you know why? Well, there are lots of words that are the same in Spanish and English. They may be pronounced differently, but they are spelled the same way and have exactly the same meaning. Also, there are many Spanish words that have a slightly different spelling (often just one letter) but can be recognized instantly by anyone who speaks English. These words are called "cognates" and they can help you learn Spanish faster!

Let's look at some of them and pronounce them the Spanish way. Your teacher will show you how.

1

Words that are exactly the same in English and Spanish. Repeat them aloud after your teacher.

adorable	el actor	la banana
artificial	el animal	la base
criminal	el cable	la idea
cruel	el celular	el honor
extra	el cereal	la plaza
horrible	el color	la radio
natural	el chocolate	
popular	el doctor	
probable	el hotel	
sociable	el mosquito	
terrible	el motor	
tropical	el piano	

3

2

Here are some Spanish words that look almost like English words. Repeat them aloud after your teacher.

delicioso

diferente

excelente

famoso

gigante

importante

inteligente

interesante

moderno

necesario

ordinario

el accidente

el calendario

el diccionario

el elefante

el garaje

el plato

el profesor

el programa

el restaurante

el tigre

el tren

el vocabulario

la ambulancia

la aspirina

la bicicleta

la clase

la computadora

la familia

la frase

la foto

la gasolina

la hamburguesa

la medicina

la motocicleta

la rosa

la secretaria

la sopa

3

Some words in Spanish have an accent mark. An accent affects the pronunciation and in some cases the meaning of a word. Here are some Spanish words that have exactly the same or almost the same spelling as English words but also have an accent mark.

el automóvil

el café

el león

el menú

el teléfono

el teléfono móvil

el estéreo

la música

la opinión

la región

la televisión

tímido

romántico

4

Here are some Spanish words that are different from English, but you'll probably be able to figure out their meanings. Repeat them aloud after your teacher.

la fiesta

el cine

el teatro

el amigo

la amiga

el estudiante

el parque

el aeropuerto

el avión

el autobús

la estación

la universidad

el banco

el jardín   la lámpara   la flor   el parque

5 Of course, there are many Spanish words that are quite different from the English words that have the same meaning. At first, it is helpful to memorize these words. Hearing them in conversations or in TV or radio broadcasts, seeing them in different texts you will read, and using them in your own communication will help you to remember them as well. You will also be able to learn many of them easily by connecting them with some related English word. For example: **libro** (*book*) is related to *library*—a place where there are many books; **pollo** (*chicken*) is related to *poultry*; **médico** (*doctor*) is related to *medical*; **enfermera** (*nurse*) is related to *infirm (sick)*.

Here are some more words to add to your Spanish vocabulary.

el libro   la pluma   el estéreo

el árbol   la leche   la escuela

el hombre

la mujer

la gorra

la mano

la casa

la muchacha

el muchacho

el perro

la madre

el padre

el gato

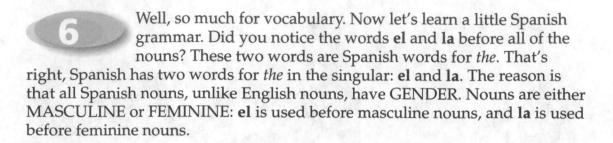

Well, so much for vocabulary. Now let's learn a little Spanish grammar. Did you notice the words **el** and **la** before all of the nouns? These two words are Spanish words for *the*. That's right, Spanish has two words for *the* in the singular: **el** and **la**. The reason is that all Spanish nouns, unlike English nouns, have GENDER. Nouns are either MASCULINE or FEMININE: **el** is used before masculine nouns, and **la** is used before feminine nouns.

How do we tell which words are masculine and which are feminine? Compare these two groups:

I	II
el **muchacho**	*la* **muchacha**
el **libro**	*la* **pluma**
el **sombrero**	*la* **casa**

In what letter do the words in the first group end? _____. What about the second group? _____. You probably figured out the rule already.

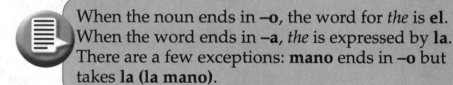

> When the noun ends in **–o**, the word for *the* is **el**.
> When the word ends in **–a**, *the* is expressed by **la**.
> There are a few exceptions: **mano** ends in **–o** but
> takes **la (la mano)**.

Now it's your turn. Add the appropriate article (word for *the*).

_____ escuela   _____ teatro

_____ banco   _____ fiesta

With nouns ending in other letters (**el tigre, la leche**), there is no way of determining whether we use **el** or **la**. That's why we need to learn the article *(the)* as we learn each new word.

Let's see now if you can figure out the meaning of these ten sentences.

1. El hotel es grande.

2. El actor es romántico.

3. El sándwich es delicioso.

4. El avión es rápido.

5. El estudiante es sociable.

6. El menú es excelente.

7. El médico es norteamericano.

8. La actriz es popular.

9. La lección es difícil.

10. El perro es inteligente.

You probably noticed that there is a word that appeared in all the sentences. This word is **es**, which means *is*.

¡**Fantástico!** Here are ten more:

1. El presidente es famoso.

2. El artista es magnífico.

3. El accidente es terrible.

4. El auto es moderno.

5. El teléfono es necesario.

6. El libro es interesante.

7. El cereal es delicioso.

8. El amigo es sincero.

9. El programa es ridículo.

10. La flor es plástica.

Actividad A

Complete each statement with the word that describes the illustration.

el estéreo   la computadora   la lámpara
la bicicleta   la guitarra   el teléfono
el televisor   la foto   el diccionario

1. La_____ es importante.

2. El _____ es necesario.

3. El _____ es moderno.

4. La _____es grande.

5. La _____es eléctrica.

6. El_____ es magnífico.

7. La_____ es adorable.

8. El _____ es excelente.

9. La _____ es atractiva.

Here are six modes of transportation. Use them to express how you go to the various places illustrated below. Make sure you use **el**, **la**, or a contraction, if necessary.

EXAMPLE: **Voy** *al* **doctor** *en carro.*
Voy *a la* **doctora** *en carro.*

1. _____   2. _____

3. _____   4. _____

5. _____

6. _____

7. _____

8. _____

Actividad C

Express the Spanish word for *the* before each noun: **el** if the noun is masculine, **la** if the noun is feminine.

1. _____ animal es grande.

2. _____ banana es deliciosa.

3. _____ avión es rápido.

4. _____ amigo es sociable.

5. _____ clase es interesante.

6. _____ muchacho es cómico.

7. _____ profesora es inteligente.

8. _____ teléfono es moderno.

9. _____ flor es bonita.

10. _____ gato es adorable.

11. _____ guitarra es eléctrica.

12. _____ bolígrafo es necesario.

13. _____ televisor es enorme.

14. ¡_____ español es emocionante!

Actividad **D**

Sí o no. Work with a partner. If the statement is true, say **Sí**. If it is false, say **No**. (Watch out—there are differences of opinion!).

1. El café es terrible. _____   **5.** El programa es tonto. _____

2. El elefante es inteligente. _____   **6.** El cereal es delicioso. _____

3. El perro es adorable. _____   **7.** La clase es excelente. _____

4. El autobús de la   _____   **8.** La televisión es   _____
escuela es rápido.   popular.

Actividad **E**

Give your opinion by completing each sentence with one or more of the adjectives listed at the right.

EXAMPLE: **El hotel es _popular_.**

1. El aeropuerto es _____.

2. El presidente es _____.

3. El automóvil es _____.

4. El sándwich es _____.

5. El mosquito es _____.

6. El avión es _____.

7. El chocolate es _____.

8. El garaje es _____.

9. El cine es _____.

10. El jardín es _____.

terrible

rápido

horrible

moderno

delicioso

romántico

necesario

popular

interesante

importante

excelente

horrible

grande

Actividad F

Complete each sentence with a suitable noun.

1. La _____ es grande.
2. El _____ es horrible.
3. La _____ es importante.
4. El _____ es rápido.
5. La _____ es inteligente.

6. La _____ es excelente.
7. El _____ es necesario.
8. La _____ es artificial.
9. El _____ es moderno.
10. El _____ es delicioso.

Información personal

Using the adjectives from the list below, write sentences that describe yourself. Taking turns with a partner, talk about your personality traits. Take notes on what your partner tells you and share his/her information with your class.

adorable	grande	interesante	popular
cruel	importante	moderno	sentimental
estudioso	inteligente	natural	sociable

(Yo) soy ... (*I am . . .*)

_____

_____

(Yo) no soy ... (*I am not . . .*)

_____

_____

(Mi amigo/a _____) es . . . (*My friend _____ is . . .*)

_____

_____

(Mi amigo/a _____) no es . . . (*My friend _____ is not . . .*)

_____

_____

7 Now that you've learned some vocabulary, let's learn some greetings and common expressions. Here are some pictures of people talking to each other. Can you figure out what they're saying?

–Hola, Josefina.
–Buenos días, Manuel.

–Buenas tardes, Felipe.
–¿Qué tal, Juan?

–¿Cómo estás, José?
–Muy bien, Pedro. ¿Y tú?

–Adiós, Agustina.
–Hasta luego, Jimena.

–¿Cómo te llamas?
–Me llamo Mario.

–¿Cómo se llama el
  muchacho?
–Se llama Francisco.

–Buenas noches, señor.
–Hotel Palacio, por favor.

–Muchas gracias.
–De nada.

–Me llamo Pablo.
–Mucho gusto.

Para conversar

Work with a partner. People are talking to you. What would you say to them? There may be more than one answer in some cases.

Cápsula cultural

¿Habla usted castellano?

Muchos piensan que en España sólo se habla un idioma – el **español**. Pero en España, se hablan muchos idiomas diferentes.

muchos many
piensan think
sólo only
pero but

Es verdad que el idioma oficial de España es el **español**, o el **castellano**. Pero hay varias regiones donde la gente mantiene su propio idioma y cultura. Por ejemplo, en Cataluña —la región en el noreste del país que limita con Francia— y en las Islas Baleares se habla **catalán**. **Catalán** es un idioma similar al francés. En España hay más de siete millones de personas que hablan **catalán**.

idioma language
la gente people
propio own

que who, that

En Galicia, en la parte noroeste del país, más de tres millones de personas hablan **gallego**, que es similar al portugués. En el País Vasco, en la región cerca de los Pirineos, se habla **vasco** (o **euskadi**), un idioma totalmente único porque no parece estar relacionado a ningún otro idioma del mundo.

país country
más de more than
cerca de near
ningún otro no
other; any other

Las personas en estas regiones de España usan estos idiomas y también hablan el español. Por eso, se puede decir que muchos españoles son multilingües, o sea, que hablan más de un idioma.

también also

El siguiente mapa de España muestra algunas frases típicas en los diferentes idiomas

muestra shows

	castellano	catalán	gallego	vasco
Good night	Buenas noches	Bona nit	Boas noites	Gau on
Thank you very much	Muchas gracias	Moltes gracies	Moitas gracias	Ezkerrik asko
It's cold	Hace frío	Fa fred	Fai frío	Hotz da

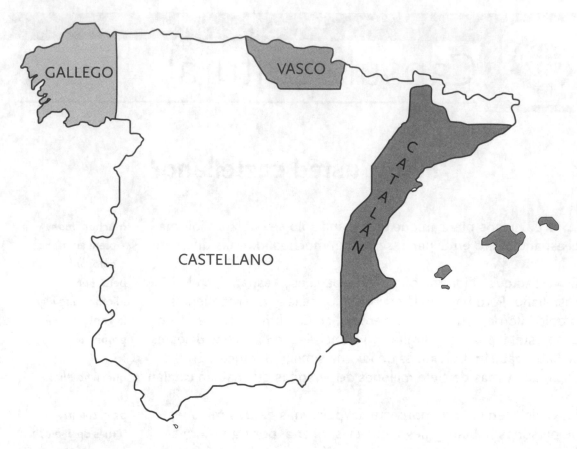

Comprensión

1. El idioma oficial de España es _____.

2. Cataluña es una región de España que limita con _____.

3. El idioma de Galicia es _____.

4. _____ es un idioma antiguo que no parece estar relacionado a ningún otro en el mundo.

Investigación

Using the Internet, find out information about the languages spoken throughout the Spanish-speaking world. For example, what are the official languages of Paraguay? What other languages are spoken in Mexico? Colombia? Ecuador? Why do you think that there are so many different languages spoken in these countries? Pick one or two languages and share a phrase or two in each with a classmate.

VOCABULARIO

el aeropuerto *airport*
el amigo *friend*
el árbol *tree*
el autobús *bus*
el avión *airplane*
el banco *bank*
la casa *house*
el cine *movie theater*
la computadora *computer*
difícil *difficult*
la escuela *school*
la estación *station*

el estudiante *student*
fácil *easy*
la fiesta *party*
la flor *flower*
el gato *cat*
la gorra *cap*
el hombre *man*
el jardín *garden*
el libro *book*
la lámpara *lamp*
la leche *milk*

la madre *mother*
la mano *hand*
el muchacho *boy*
la mujer *woman*
el padre *father*
el parque *park*
el perro *dog*
la pluma *pen*
el teatro *theater*
la universidad *university*

Adiós. *Good bye.*
Buenas noches. *Good night.*
Buenas tardes. *Good afternoon.*
Buenos días. *Good morning.*
¿Cómo te llamas? *What's your name?*
¿Cómo se llama? *What's his/her name?*
De nada. *You're welcome.*
Hasta la vista. *See you later.*
Hasta luego. *I'll see you later.*
Hasta mañana. *See you tomorrow.*

Hola. *Hello.*
Me llamo ... *My name is . . .*
Mucho gusto. *It's a pleasure, Nice to meet you*
Muchas gracias. *Thank you very much.*
Muy bien. *Very well.*
Por favor. *Please.*
¿Qué tal? *Hi!, How are you doing?*
Se llama ... *His/her name is . . .*
¿Y tú? *And you?*

2

La familia

1 Vocabulario

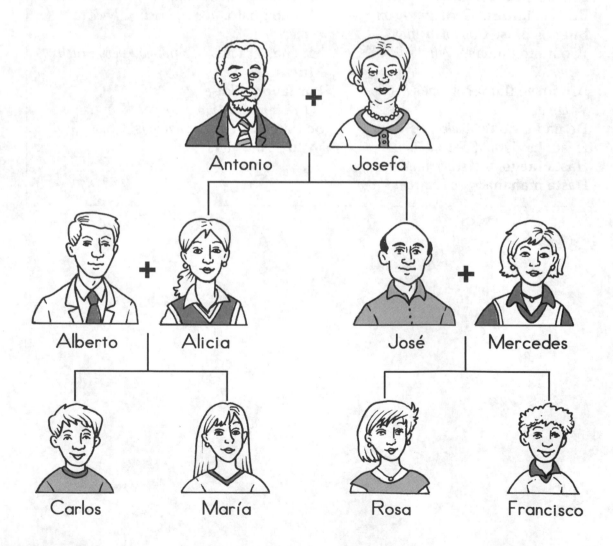

Here we have a big happy family. It's obvious from the family tree who all the members are. Let's take a closer look:

La familia de Antonio y Josefa

Antonio y Josefa son **los padres** de Alicia y José, y **los abuelos** de Carlos, María, Rosa y Francisco. Carlos y María son **hermanos**. Son **los hijos** de Alberto y Alicia: sus **padres**. José y Mercedes son **los padres** de Rosa y Francisco, y **los tíos** de Carlos y María. Rosa y Francisco son hermanos. Carlos y María son los primos de Rosa y Francisco. La familia tiene dos animales: Terror, el perro y Tigre, el gato. Terror y Tigre no son **hermanos**; son amigos. Complicado, ¿verdad? Así es la vida.

son *are*
y *and*

sus *their*

tiene *has*
¿verdad? *Isn't that so (true)?*
Así es la vida. *That's life.*

Actividad A

Following the family tree of the Garcías, complete each sentence with the correct words.

1. Alicia es la _____ de Carlos y María.

2. Los hijos de José se llaman _____ y _____.

3. Carlos es el _____ de Francisco.

4. Carlos y Francisco son _____.

5. Antonio es el _____ de Alicia.

6. Tigre y Terror son dos _____.

7. Antonio y Josefa son los _____.

8. José es el _____ de Carlos y María.

9. Rosa es la _____ de María.

10. Francisco y Rosa son _____ .

Work with a partner. Take turns reading each statement aloud. If the statement is true, say **cierto** and make the "thumbs up" gesture. If it is false, say **falso** and make the "thumbs down" gesture, and correct the information.

1. El perro y el gato son animales.

_____

2. El abuelo es el hijo de Alicia.

_____

3. Carlos y María son primos.

_____

4. Francisco y María son hermanos.

_____

5. María es la tía de Rosa.

_____

6. Francisco es el hijo de José.

_____

7. Terror es el padre de la familia.

_____

8. Josefa y Antonio son los abuelos.

_____

9. Carlos y María son los padres de Alberto.

_____

10. El padre de mi madre es mi tío.

_____

Identify the members of the García family. Complete the sentences with the words below, matching them with the pictures.

abuela	familia	padres	primas
tío	hijos	perro	gato
hermanos	animales		

1. Alberto y Alicia son los _____ de Carlos y María.

2. La _____ tiene 10 miembros y 2 _____.

3. El _____ se llama Tigre y el _____ se llama Terror.

4. Carlos y María son _____.

5. Josefa es la _____.

6. María y Rosa son _____.

7. Francisco es el
_____ de José.

8. Alberto es el _____ de Francisco.

There are many people in the García family. When we speak about more than one person or thing, we must use the PLURAL. How do we change nouns from the singular to the plural in Spanish? Let's see if you can figure out the easy rules. Look carefully:

I	II
el gato	*los* gatos
el perro	*los* perros
la madre	*las* madres
la tía	*las* tías

Following the pattern you just saw, make the following plural:

el padre _____   la prima _____

el tío   _____   la hija _____

Now compare the two groups of nouns. What letter did we add to the nouns in the second column? If you wrote the letter **s**, you are correct. Here's the first rule:

In Spanish if a noun ends in a vowel (*a, e, i, o, u*), just add the letter **s** to the singular form of the noun to make it plural. Like this: **padre + s = padres**

Here are two more groups of nouns:

I	II
el **animal**	*los* **animales**
el **color**	*los* **colores**
la **flor**	*las* **flores**
la **lección**	*las* **lecciones**

Following the pattern above, make the following nouns plural:

el hotel _____   la universidad _____

la mujer _____   el actor   _____

Do the nouns in Group I end in a vowel? _____ What letters did we add to make them plural? _____ Here's the second rule:

In Spanish, if a noun ends in a consonant (for example, *l, n, r*), add the letters **es** to the singular form of the noun to make it plural. Like this: **flor + es = flores.**

NOTE: **a.** When a singular noun ends in **z**, the **z** changes to **c** in the plural:
      la actriz, las actrices.
      el lápiz → los lápices.

     b. When a singular noun ends in a syllable with an accent mark, the accent mark is dropped in the plural:
      la lección, las lecciones.
      la dirección → las direcciones

4   That's all there is to it for the nouns. Did you observe the plural forms for the words that mean *the*? Examine Groups I and II again. In both groups, note the words that mean *the*. Here is the complete rule:

The plural form of *el* is *los.*

The plural form of *la* is *las.*

Los and **las** mean *the.*

Remember, there are four words for *the* in Spanish: **el, la, los, las.** When do you use **el? la? los? las?** Give an example of each with a noun.

5   One more thing. What happens when you have a "mixture" of masculine and feminine? Do you use **los** or **las?** The rule is: Always use the masculine (**los**) form.

el padre   la madre   los padres
el papá   la mamá   *(the parents)*

el hijo   la hija   los hijos
(the children)

| **el hermano** | **la hermana** | **los hermanos** |
| | | *(the siblings)* |

| **el abuelo** | **la abuela** | **los abuelos** |
| | | *(the grandparents)* |

Actividad D

Here are some things you are familiar with. Give the correct Spanish word for *the* before each noun.

1. _____ hamburguesa
2. _____ libros
3. _____ música
4. _____ fiestas
5. _____ frutas
6. _____ profesora

7. _____ cine
8. _____ rosa
9. _____ tacos
10. _____ automóviles
11. _____ amigos
12. _____ chocolate

13. _____ bicicleta
14. _____ restaurante
15. _____ abuelos
16. _____ perros
17. _____ lecciones
18. _____ parques

Here is a list of common words. Give the plural form of these items using the correct form of *the*.

1. la flor _____

2. el diccionario _____

3. el libro _____

4. la pluma _____

5. el chocolate _____

6. el cereal _____

7. la hamburguesa _____

8. la bicicleta _____

9. la computadora _____

10. la medicina _____

11. el taco _____

12. la camiseta _____

13. la banana _____

14. el tío _____

15. el estéreo _____

16. la gorra _____

17. la aspirina _____

18. la hermana _____

19. la lámpara _____

20. la fruta _____

Actividad F

Now match ten plural items from the previous exercise with a description and write a sentence. (¡Ojo! There will be some unused descriptions).

EJEMPLO: **las flores** + **son bonitos** → **Las flores son bonitas.**

son necesarios	son necesarias	son importantes
son deliciosos	son deliciosas	son interesantes
son bonitos	son bonitas	son excelentes
son modernos	son modernas	son populares
son pequeños	son pequeñas	son grandes
son rápidos	son rápidas	son terribles

1. _____

2. _____

3. _____

4. _____

5. _____

6. _____

7. _____

8. _____

9. _____

10. _____

Pronunciación

The chart below will teach you how to pronounce Spanish vowels.

Letter	Pronunciation	English examples of sound	Spanish example
a	ah	y<u>a</u>cht, h<u>o</u>t	nacho, taco, mamá, papá

La casa de Carlos está en Santa Bárbara.

Letter	Pronunciation	English examples of sound	Spanish example
e	eh	r<u>e</u>nt, s<u>e</u>nd	mesa, peso, excelente

¿Ve usted el perro del presidente?

Letter	Pronunciation	English examples of sound	Spanish example
i	ee	mach<u>i</u>ne, tr<u>i</u>o	sí, rico, chico, cine

Mi tía Cristina vive en Lima.

Letter	Pronunciation	English examples of sound	Spanish example
o	oh	c<u>o</u>ld, <u>o</u>bey	loco, foto, zorro

Tengo sólo ocho fotos de Bogotá.

Letter	Pronunciation	English examples of sound	Spanish example
u	oo	m<u>oo</u>n, J<u>u</u>ne	mucho, futuro, puro

Tú y Lupe saben mucho del Perú.

CONVERSACIÓN

Vocabulario

Hasta la vista. *See you later.*
Hasta mañana. *See you tomorrow.*
Hasta pronto. *See you soon.*

DIÁLOGO

Create your own dialog by filling in the missing spaces with words you've learned.

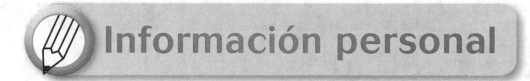

Información personal

Your school newspaper is preparing an article about the students and their families. Fill in the following information. (You can make up any answers you want.)

1. Me llamo _____.

2. Mi (*my*) madre se llama _____.

3. Mi padre se llama _____.

4. Mi(s) hermano(s) se llama(n) _____.

5. Mi(s) abuelo(s) se llama(n) _____.

6. Mi(s) tío(s) se llama(n) _____.

7. Mi(s) primo(s) se llama(n) _____.

8. Mi(s) animal(es) se llama(n) _____.

¡Practícalo!

Based on the **información** you wrote above, work in pairs to share your information about your families. Report the **información** about your partner back to the class.

EXAMPLE: **Mi hermano se llama David.**

Cápsula cultural

¿Señorita o Señora?

E n español, es un poco complicado. Vamos a ver como funciona. Primero, unas palabras sencillas:

señor = Mr., señora = Mrs., señorita = Miss

Se pueden usar estas tres palabras para llamar la atención:

¡Señor! ¡Señora! ¡Señorita!

Estos títulos se usan antes del apellido, como en el inglés.

Por ejemplo: (el) señor Rodríguez (la) señora Ortiz (la) señorita Vidal

Pero, en español, estas palabras se usan también antes de títulos profesionales como **abogado**, **maestro, doctor**, etc. Es común ver combinaciones como: **señor doctor**, **señora presidenta**, etc.

Además, hay dos formas adicionales para mostrar respeto a los mayores y a miembros distinguidos de la comunidad. Son: **don** y **doña**. Estas palabras se combinan con el primer nombre—**don Carlos**, **doña Rosa**—o antes del nombre entero—**don Carlos Montoya, doña Rosa López.**

Aquí tienes las abreviaciones para estos títulos:

señor – Sr. señora – Sra. señorita – Srta.

don – D. doña – Dña.

Comprensión

1. Para llamar la atención de una muchacha, puedes decir: _____.

2. Se usan los títulos señor, señora, señorita antes de _____,

   _____ y _____.

3. Para mostrar respeto a los mayores de la comunidad, se usan los títulos

   _____ y _____ con el nombre de la persona.

4. Sr., Srta., y Sra. son abreviaciones de _____,

   _____ y _____.

Investigación

Compare these titles of courtesy and respect in Spanish with similar ones in English. Are there exact matches in both languages? When might you use one of the titles versus another?

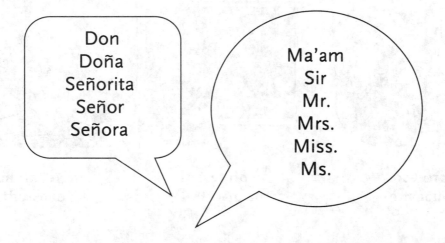

Don
Doña
Señorita
Señor
Señora

Ma'am
Sir
Mr.
Mrs.
Miss.
Ms.

VOCABULARIO

la abuela *grandmother*
el abuelo *grandfather*
la familia *family*
hermano(a) *brother, sister*
los hermanos *brothers and sisters*
hijo(a) *child (son, daughter)*
la madre *mother*

la mamá *mom*
el padre *father*
los padres *parents*
el papá *dad*
primo(a) *cousin*
tío(a) *uncle, aunt*

La clase y la escuela

Indefinite Articles

 **1** ## Vocabulario

el profesor
el maestro

la profesora
la maestra

el alumno
el estudiante

la alumna
la estudiante

el papel

la nota

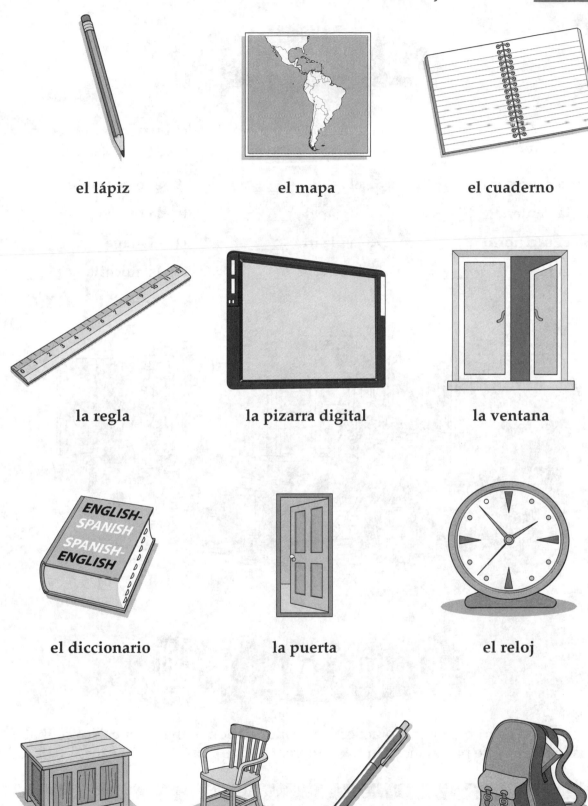

el lápiz

el mapa

el cuaderno

la regla

la pizarra digital

la ventana

el diccionario

la puerta

el reloj

el escritorio

la silla

la pluma
el bolígrafo

la mochila

Actividad A

It's your first day in school. Using the following words, identify what you see in the classroom.

1. la profesora _____
2. la ventana _____
3. el escritorio _____
4. el lápiz _____

5. el reloj _____
6. el papel _____
7. la pizarra _____
8. la silla _____

9. el estudiante _____
10. la puerta _____
11. el mapa _____
12. la mochila _____

Pronunciación

Look at the chart below and practice the pronunciation of the letter **c**. Notice that this letter may be pronounced in two different ways.

Letter	Pronunciation	English examples of sound	Spanish examples
c (before a, o, u, or consonant)	k	cat, cold	casa, corto, crema, Cuba

El clima en el Caribe es caliente.

Letter	Pronunciation	English examples of sound	Spanish examples
c (before e, i)	s	city, cent	centavo, cinco, cine

Necesito cinco centavos para participar en la celebración.

Now that you know many new words, read the following story and see if you can understand it.

La clase de español

Hay un grupo de estudiantes en la clase de español. Los estudiantes hablan de su profesor: el señor Manuel Carvajal.

ANA: El profesor es **una** persona muy inteligente.

FRANCISCO: Sí, él sabe mucho.

LAURA: Es verdad. Él habla inglés y español perfectamente.

JUAN: Sí, pero no es muy simpático.

ISABEL: ¿Por qué? En mi opinión, es **un** hombre muy amable.

ROSARIO: ¡No! Es muy estricto y no le gusta la clase.

JORGE: Sí. Él cree que no somos inteligentes.

(El profesor Carvajal entra en la clase).

TODOS LOS ESTUDIANTES DICEN: Buenos días, señor profesor.

EL PROFESOR: Buenos días, estudiantes. ¿Cómo está mi clase favorita?

hay *there is, there are*
su *their*
muy *very*
él sabe *he knows*
perfectamente *perfectly*
simpático *nice*
amable *friendly*
no le gusta *he doesn't like*
él cree *he thinks*
somos *we are*
todos los ... *all the* ...
dicen *they say*

Actividad B

With a partner, take turns at reading each statement aloud. If the statement is true according to the story, say **cierto**. If it is false, say **falso** and correct the information.

1. Los alumnos están en la clase de inglés.   ❏ cierto   ❏ falso

2. El profesor de español se llama Luis López.   ❏ cierto   ❏ falso

3. Ana cree que el profesor es muy inteligente.   ❏ cierto   ❏ falso

4. El profesor Carvajal habla dos lenguas.   ☐ cierto ☐ falso

_____

5. Juan cree que el profesor es muy simpático.   ☐ cierto ☐ falso

_____

6. Isabel cree que el profesor no es muy amable.   ☐ cierto ☐ falso

_____

7. Rosario cree que el profesor es muy estricto.   ☐ cierto ☐ falso

_____

8. El profesor no tiene una buena opinión de la clase.   ☐ cierto ☐ falso

_____

Actividad (C)

Complete each statement about the story **La clase de español.**

1. Los alumnos hablan de su _____ _____.

2. Francisco cree que el profesor _____ _____.

3. El profesor habla _____ y _____ perfectamente.

4. Juan cree que el señor Carvajal no es muy _____.

5. Según la opinión de Rosario, el profesor es muy _____

y no _____ _____ la clase.

6. Cuando entra el profesor en la clase los alumnos dicen _____.

7. El profesor cree que la clase de español es su clase _____.

2 Look at the story again. There are two new little words that appear in **bold face**. What are these two new words? _____ and _____.

Can you figure out when to use **un** and when to use **una**? Look carefully:

I	II
_el_ **profesor**	_un_ **profesor**
_el_ **cuaderno**	_un_ **cuaderno**

Following the pattern above, substitute the indefinite article (**un, una**) for the definite article (**el, la**). For example: **el profesor** → *un* **profesor**

el diccionario _____

el escritorio _____

Let's start by comparing the two groups of nouns. Are the nouns in Group I singular or plural? _____ How do you know? _____ Are the nouns in Group I masculine or feminine? _____ How do you know? _____ What does **el** mean? _____ Now look at Group II. Which word has replaced **el**? _____ What does **un** mean? _____

3 Now look at these examples:

I	II
la **mochila**	*una* **mochila**
la **silla**	*una* **silla**

Following the pattern above, substitute the indefinite article for the definite article. For example: **la profesora** → *una* **profesora**

la clase _____

la puerta _____

Are the nouns in Group I singular or plural? _____ How do you know? _____ Are the nouns in Group I masculine or feminine? _____ How do you know? _____ What does **la** mean? _____ Now look at Group II. Which word has replaced **la**? _____ What does **una** mean? _____

In Spanish, **un** and **una** are the words for *a* and *an*.
Un is used before a masculine noun to express *a* or *an*.
Una is used before a feminine noun to express *a* or *an*.

El and **la** are used to refer to a specific thing, while un and una are used to refer to something general. For example: **el gato** refers to a specific cat, while **un gato** refers to any cat, or a cat in general.

Actividad D

Take turns with a partner to play a game of "I Spy." Using the illustration below, state what you see and point to each item.

FOR EXAMPLE: "**Veo una ventana.**" Then point to the window.

Actividad E

Here are some family members you know. Replace el and la with un or una.

1. el abuelo _____   6. el tío   _____

2. la madre _____   7. el hijo   _____

3. la hermana _____   8. la tía   _____

4. la hija   _____   9. el hermano _____

5. el padre _____   10. la abuela   _____

Actividad F

With a partner, play "Pictionary" by taking turns drawing a picture of some of the things you might see while walking down a street. Use the cues provided. See how fast your partner can guess your word.

EXAMPLE: You draw: a stick-figure
            Your partner guesses: **Es un hombre.**

automóvil	bicicleta	perro
puerta	mujer	banco
gato	parque	muchacho
casa	restaurante	teatro
flor	animal	motocicleta

What do you notice about these two sentences?

Caterina es secretaria.

Alejandro es carpintero.

We do *not* use **un** or **una** with an occupation or profession.

But:

Caterina es *una* secretaria excelente.

Alejandro es *un* carpintero profesional.

The indefinite article **un** or **una** is used when the occupation or profession is accompanied by an adjective:

Su padre es abogado.

Su padre es *un abogado famoso*.

Complete the sentences with the indefinite article (**un, una**) where needed.

1. El señor López es _____ profesor.

2. La hermana de Pedro es _____ actriz bonita.

3. Su padre es _____ médico importante.

4. La madre de Ana _____ policía.

5. El senador es _____ político internacional.

6. Ramiro es _____ estudiante.

7. La tía de Josefina es _____ artista famosa.

8. Brad Pitt es _____ actor.

Vocabulary Mix-up. With a partner, underline the word that does not belong in each group (according to its meaning). Then, provide a word that logically belongs.

1. una puerta, una ventana, una profesora, una silla

2. el lápiz, la pluma, el cuaderno, el café

3. inteligente, sociable, interesante, delicioso

4. el abuelo, la tía, la flor, el hijo

5. la mujer, la banana, la leche, la fruta

6. un tren, una bicicleta, un avión, un jardín

7. el parque, la escuela, la universidad, la clase

8. un hospital, una ambulancia, una medicina, un autobús

9. un perro, un banco, un gato, un tigre

10. el chocolate, el cereal, el pollo, el árbol

CONVERSACIÓN

Vocabulario

estupendo *great, fine*
No te preocupes. *Don't worry.*
eres *you are*
difícil *difficult*

fácil *easy*
¡Claro! *Of course!*
Buena suerte. *Good luck.*

Complete the dialog with suitable expressions.

Información personal

Name at least eight items in Spanish that you keep in your locker at school/or in your desk at home. Now, with a partner, play "Go Fish" by asking for specific items to match yours. Use **un**, **una**, **unos**, **unas** and add the verb **hay** (there is, there are).

EXAMPLE: Student #1:   **¿Hay una foto?**
            Student #2:   **Sí. Hay una foto.**

Make a list of the items you both have in common to share with the class.

_____

_____

_____

_____

_____

_____

_____

_____

_____

_____

_____

Cápsula cultural

La educación

Algunas palabras en español parecen palabras en inglés, pero no significan lo mismo. Estas palabras se llaman «falsos amigos». En España y en Colombia, por ejemplo, «educación» no significa *education*, sino «buenos modales». Una persona con «mucha educación» es cortés y sabe portarse bien. Una persona maleducada es descortés y ruda.

algunas *some*
lo mismo *the same*
buenos modales *good manners*
portarse *to behave oneself*
descortés *impolite*

Otro «falso amigo» es la palabra «colegio». No significa *college*. (*College* significa «universidad».) Un colegio es más parecido a *high school*, una institución educativa que prepara a los estudiantes para la universidad.

parecido *similar*

Hablando de educación, «una nota» significa *a grade*; y «sacar buenas notas» significa *to get good grades*. En muchos países de Hispanoamérica, se usa un sistema de 10 puntos para calificar –10 es el máximo y representa «sobresaliente»; 1 es el mínimo; y 5 es la nota mínima para aprobar la clase.

calificar *to pass*
sobresaliente *outstanding*
aprobar *to pass*

Comprensión

1. En algunos países de Hispanoamérica, la palabra «educación» significa _____.

2. Una persona ruda es _____.

3. La palabra que significa *college* en español es _____.

4. El equivalente a nuestro *high school* es _____.

5. En Hispanoamérica, una buena nota es _____.

Investigación

1. Using the Internet, explore the school systems of various Spanish-speaking countries and compare them with ours. What are some similarities and differences?

2. What is a **bachillerato** and when does a student receive one?

VOCABULARIO

la alumna *student* (f.)
el alumno *student* (m.)
el bolígrafo *pen*
el cuaderno *notebook*
el diccionario *dictionary*
el escritorio *desk*
la estudiante *student* (f.)
el estudiante *student* (m.)
el lápiz *pencil*
la maestra *teacher* (f.)
el maestro *teacher* (m.)
el mapa *map*
la mochila *backpack*

hay *there is, there are*
fácil *easy*
muchos(as) *many*
otro(a) *other*
tiene *has*

la nota *grade*
el papel *paper*
la pared *wall*
la pizarra *blackboard*
la pluma *pen*
la profesora *teacher* (f.)
el profesor *teacher* (m.)
la puerta *door*
la regla *ruler*
la silla *chair*
el reloj *clock*
la ventana *window*

¡Buena suerte! *Good luck!*
¡Claro! *Of course!*
estupendo *great, fine*
No importa. *It doesn't matter.*

4

Las actividades

1 Vocabulario

comprar un libro

desear un helado

escuchar música

estudiar la lección

hablar por teléfono

mirar la televisión

practicar tenis (deportes)

tomar un chocolate

trabajar en casa

visitar a los abuelos

Actividad Ⓐ

Match the verb with a noun that could be used with it and write your answer in the space provided.

EXAMPLE: **mirar la televisión**

1. mirar _____   en un supermercado

2. comprar _____   un disco compacto

3. escuchar _____   la lección

4. practicar _____   un automóvil

5. visitar _____   el tren

6. estudiar _____   una gorra

7. desear _____   el piano

8. tomar _____   un museo

9. hablar _____   la televisión

10. trabajar _____   español

Many people will be involved in the conversation later in this lesson. Who are they?

yo *(I)*

tú *(you)*

él *(he)*

ella *(she)*

usted *(you)*

ustedes *(you)*

nosotros
(we [boys])

nosotros
(we [boys and girls])

nosotras
(we [girls])

ellos
(they [boys])

ellos *(they* [boys and girls])

ellas *(they* [girls])

These words are called subject pronouns. Subject pronouns refer to the persons or things doing the action. Did you notice that **tú**, **usted**, and **ustedes** all mean you?

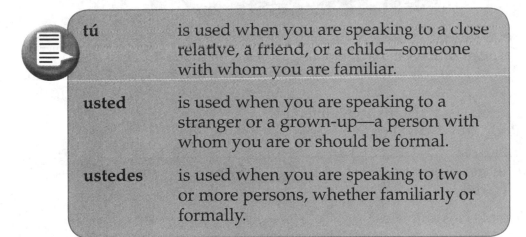

tú	is used when you are speaking to a close relative, a friend, or a child—someone with whom you are familiar.
usted	is used when you are speaking to a stranger or a grown-up—a person with whom you are or should be formal.
ustedes	is used when you are speaking to two or more persons, whether familiarly or formally.

Actividad B

Give the subject pronoun you would use if you were speaking to the following people. Would you use **tú** or **usted**?

1. el médico _____
2. el profesor _____
3. un hermano _____
4. el presidente _____

5. una amiga _____
6. un muchacho _____
7. el señor Rosas _____
8. un bebé _____

3 Which pronoun would you use if you wanted to speak about **Carlos** without using his name? _____ Which pronoun would you use if you wanted to speak about **María** without using her name? _____

Which pronoun would replace **Carlos y Pablo**? _____ **María y Ana**? _____ **María y Pablo**? _____

Él and **ella** may also mean *it*. Which pronoun would you use to replace **el libro**? _____ **la regla**? _____

Ellos and **ellas** mean *they*. Which pronoun would you use to replace **los perros**? _____ **las casas**? _____ **los alumnos y las alumnas**?

_____

Actividad C

Marta asks a lot of questions. Fill in the dialogue between Marta and her friend
Rodrigo by filling in the pronoun you could use to substitute for each name or noun.

EXAMPLE: Marta: ¿Pedro es inteligente?
            Rodrigo: Sí. **Él** es inteligente

1. ¿Son profesores el señor y
   la señora García?

2. ¿Son adorables los animales?

3. ¿Son estudiantes Juana y Josefa?

4. ¿Es actriz Ana?

5. ¿Es famoso el actor?

6. ¿Son simpáticos mis amigos?

7. ¿Se llama Galán tu perro?

8. ¿Practicamos tenis Gabriela y yo?

9. ¿Hablamos español tú y yo?

Sí. _____ son profesores.

Sí. _____ son adorables.

Sí. _____ son estudiantes.

Sí. _____ es actriz.

Sí. _____ es famoso.

Sí. _____ son simpáticos.

Sí. _____ se llama Galán.

Sí. _____ practicamos tenis.

Sí. _____ hablamos español.

Actividad D

With a partner, take turns naming various subject pronouns. Point to people and
things in the classroom that represent the pronoun you hear.

Pronunciación

Letter	Pronunciation	English examples of sound	Spanish examples
g (before a, o, u, or consonant)	g	g̲ap, g̲o, g̲um	gato, Goya, gusto, gracias

Gabriel es un gato grande y gordo.

Letter	Pronunciation	English example of sound	Spanish examples
g (before e, i)	h	<u>h</u>ot	general, gimnasio, Gerardo

Gerardo y Gerónimo son gemelos.

Additionally, the letter **g** is always pronounced as *g (gum, gap)* in **gue, gui (guerra, guitarra)**.

Letter	Pronunciation	English example of sound	Spanish examples
j	h	<u>h</u>ot	José, Juan, frijoles

Julio trabaja en San José.

Now you are ready to read this conversation between four students preparing for a party.

MÓNICA Y ROSA: Hay una fiesta en la escuela. ¿Qué **preparas tú**?   **qué** *what*

ENRIQUE: **Yo preparo** la limonada. ¿Qué **preparan ustedes**?

MÓNICA Y ROSA: **Nosotras preparamos** los sándwiches. ¿Qué **prepara la profesora** de español?

ENRIQUE: **Ella prepara** una torta.   **la torta** *cake*
el postre *dessert*

MÓNICA Y ROSA: ¿Y qué **preparan** los otros **profesores**?

ENRIQUE: Ellos preparan otros postres. ¿Qué preparas tú, Carlos?

CARLOS: ¡**Yo preparo** mi apetito!

Preparar is a verb, an **-ar** verb. All the verbs in this lesson belong to the **-ar** family because their infinitives (their basic forms) end in **-ar** and because they all follow the same rules of CONJUGATION.

CONJUGATION, what's that? CONJUGATION refers to changing the ending of the verb so that the verb agrees with the subject. We do the same in English without even thinking about it. For example, we say *I prepare* but *he prepares*. Look carefully at the forms of the verb **preparar** in bold type in the story and see if you can answer these questions:

To conjugate the verb (to make the subject and verb agree), which letters are dropped from the infinitive **preparar**? _____

Which endings are added to this stem for the following subject pronouns?

yo prepar_____   nosotros ⎫
                           nosotras ⎬ prepar _____
                                     ⎭

tú prepar _____   ustedes   prepar _____

él   ⎫   ellos   ⎫
     ⎬ prepar _____   ⎬ prepar _____
ella ⎭   ellas   ⎭

Let's see how it works. Take the verb **hablar** (to speak). If you want to say I speak, take **yo**, then remove the **-ar** from **hablar**, and add the ending **-o**:

hablar   **Yo + habla̶r̶ + o = Yo hablo.**
yo hablo   I speak, I am speaking

Do the same for all the other subjects:

tú habl*as*	you speak, you are speaking (familiar singular)
usted habl*a*	you speak, you are speaking (formal singular)
él habl*a*	he speaks, he is speaking
ella habl*a*	she speaks, she is speaking
nosotros habl*amos* **nosotras habl*amos***	we speak, we are speaking
ustedes habl*an*	you speak, you are speaking (plural)
ellos habl*an* **ellas habl*an***	they speak, they are speaking

Note that there are two possible meanings for each verb form: **yo hablo** may mean I speak or I am speaking; **tú hablas** may mean you speak or you are speaking; and so on.

Now you do one. Take the verb **pasar** (to pass). Remove the **-ar**, look at the subjects, and add the correct endings.

yo paso̲ →   yo paso   ella pas__   → _____

tú pas__   → _____   nosotros pas__ → _____

usted pas__ → _____   ustedes pas__   → _____

él pas__   → _____   ellos pas__   → _____

6 An important point about the use of subject pronouns: In Spanish, the subject pronoun is often omitted if the meaning is clear. For example, you can say either **yo hablo español** or simply **hablo español**. The **yo** isn't really necessary except for emphasis, since the **-o** ending in **hablo** occurs only with the **yo** form. Another example: You can say either **nosotros trabajamos** or simply **trabajamos**, since the verb form that ends in **-amos** cannot be used with any other subject pronoun.

In fact, any subject pronoun may be omitted if it's not needed for clarity or emphasis.

—**¿Dónde está Carmen?**   *Where is Carmen?*

—**Está en el supermercado.**   *She is in the supermarket.*

—**¿Qué compra?**   *What is she buying?*

—**Compra leche.**   *She is buying milk.*

In the lessons that follow, we will sometimes omit the subject pronoun.

Your new keypal wants to know what you do in your Spanish class. Use the **yo** person.

EXAMPLE: mirar la pizarra   **(Yo) miro la pizarra.**

1. escuchar al profesor   _____

2. practicar el vocabulario _____

3. estudiar los verbos   _____

4. hablar en español   _____

Your new keypal wants to know what you and your friends do on weekends. Use the **nosotros(-as)** person.

EXAMPLE: mirar la televisión   **(Nosotros) miramos la televisión.**

1. escuchar música   _____

2. estudiar en la biblioteca _____

3. visitar a los abuelos   _____

4. comprar discos compactos   _____

The school counselor asks you how your parents spend time at home. Use the **ellos** person.

EXAMPLE: mirar la televisión   **(Ellos) miran la televisión.**

1. trabajar en casa _____

2. comprar comida _____

3. visitar a los amigos _____

4. hablar por teléfono _____

Actividad H

Tell what the members of the Gómez family are doing.

EXAMPLE: Jorge / usar la computadora   **Jorge usa la computadora.**

1. María y José / hablar por teléfono

_____

2. el padre / comprar el periódico

_____

3. la madre / trabajar en el jardín

_____

4. los tíos / tomar una limonada

_____

5. el bebé / desear leche

_____

6. los abuelos / mirar un programa de televisión

_____

 Here are some more activities:

bailar

buscar el diccionario

caminar en el parque

cantar en la fiesta

contestar la pregunta

entrar en la clase

llegar a casa

preguntar la dirección

usar la computadora

Here are ten Spanish "action words." Tell who "is doing the action" by giving every pronoun that can be used with the verb.

EXAMPLE: **usted, él, ella** habla en español

1. _____ contesto la pregunta
2. _____ llegas a casa
3. _____ cantan en la fiesta
4. _____ caminamos en el parque
5. _____ entro en el banco

6. _____ buscan el libro
7. _____ trabaja en casa
8. _____ usan la computadora
9. _____ pregunto la dirección
10. _____ bailas el tango.

Give the form of the verb that is used with each subject. Then add a phrase to complete each sentence.

EXAMPLE: hablar: (yo)   →   **hablo**   →   Yo *hablo* con mis amigos.

1. estudiar: yo   _____
2. mirar: tú   _____
3. contestar: él   _____
4. preguntar: ella   _____
5. caminar: usted   _____
6. cantar: nosotras   _____
7. practicar: ustedes _____
8. llegar: ellos   _____
9. entrar: Alberto y yo _____
10. bailar: María y Pedro _____

Actividad K

Match the descriptions with the correct pictures.

Luis usa la computadora.
Ellas preparan la comida.
Los muchachos estudian español.
Él mira el mapa.
Nosotros bailamos en la fiesta.
El alumno busca un libro.

Ellos caminan en el parque.
Usted compra una bicicleta.
Ustedes entran en el cine.
Tú llegas a la casa.
Yo pregunto en la clase.
La muchacha practica la guitarra.

1. _____

2. _____

3. _____

4. _____

5. _____

6. _____

7. _____   8. _____

9. _____   10. _____

11. _____   12. _____

Actividad **L**

Here's a description of what some people are doing. Complete the sentences by adding the correct Spanish verb form.

1. (escuchar) Los alumnos _____ al profesor.

2. (comprar) Yo _____ un sándwich en la cafetería.

3. (entrar) Nosotros _____ en el teatro.

4. (llegar) Pedro _____ a la estación.

5. (visitar) Ustedes _____ a Juan.

6. (buscar) Tú _____ un libro interesante.

7. (cantar) El muchacho _____ cn español.

8. (bailar) María _____ bien.

9. (trabajar) Usted _____ en un hotel.

10. (tomar) Yo _____ el autobús.

11. (preparar) Pablo y María _____ la lección.

12. (caminar) Tú _____ a la escuela.

8 Look at the following sentences:

(Yo) contesto.

(Yo) no contesto.

Pedro baila.

Ricardo no baila.

Ellos estudian.   **Ellos no estudian.**

Do you see what we have done? If you want to make a sentence negative in Spanish, which word is placed directly before the verb? _____ If you wrote **no**, you are correct.

Making Spanish sentences negative is very easy. All you do is place the negative word **no** before the verb. In English we sometimes say *doesn't, don't, aren't, won't,* etc., but Spanish uses **no** in all the sentences.

Tú no hablas español.

You don't speak Spanish.
You aren't speaking Spanish.

Yo no camino a la escuela.

I don't walk to school.
I'm not walking to school.

Ella no compra una blusa.

She doesn't buy a blouse.
She isn't buying a blouse.

Actividad **M**

With a partner, take turns saying the following statements and changing them into negative sentences.

EXAMPLE: Juan baila bien.   Juan **no** baila bien.

1. Ella practica el piano.

_____

2. Nosotros trabajamos en el jardín.

_____

3. Tú buscas el libro.

_____

4. Ellos escuchan música.

_____

5. Ustedes usan computadoras.

_____

6. Usted compra el periódico.

_____

7. Él llega al aeropuerto.

_____

8. Yo estudio en la universidad.

_____

9. Jaime desea estudiar español.

_____

10. Ustedes hablan mucho.

_____

 Now, let's learn how to ask questions in Spanish.

Usted toma el autobús.	_¿Toma usted el autobús?_
Carlos desea trabajar.	_¿Desea Carlos trabajar?_
Los muchachos compran comida.	_¿Compran los muchachos comida?_

Notice that in the questions, the subjects (**usted, Carlos, los muchachos**) are placed _after_ the verb. Note also that there is an upside down question mark (**¿**) placed at the beginning of the question.

With a partner, match the responses in the right column with the Spanish questions in the left column. Write the matching letter in the space provided. Then read each mini dialogue out loud.

1. Usted no usa tiza. _____

2. ¿Estudia usted mucho? _____

3. ¿Bailan ustedes bien? _____

4. Ella no contesta en la clase. _____

5. ¿Es inteligente el perro? _____

6. ¿Trabajan ellos en casa? _____

7. ¿Hay un diccionario en la clase? _____

8. ¿Escuchas tú música? _____

9. ¿Desea usted visitar la universidad? _____

10. ¿Pasa el tren ahora? _____

11. El actor no es famoso. _____

12. ¿Canta él? _____

13. ¿Desean ustedes entrar? _____

14. Ellos no hablan inglés. _____

15. Mi profesor no habla mucho. _____

a. No deseamos entrar ahora, gracias.

b. No, hablan italiano y francés.

c. ¡Claro! Hay varios diccionarios en la clase.

d. No. No uso la pizarra mucho.

e. Sí, deseo visitar la universidad pronto.

f. Sí. Estudio mucho para mi clase de español.

g. No, el actor ya no es famoso.

h. Sí, habla todo el tiempo.

i. Sí, bailamos muy bien la salsa.

j. No, no contesta nunca en la clase.

k. No, no pasa ahora. Pasa en cinco minutos.

l. Sí, es más inteligente que el gato.

m. No. Trabajan en el restaurante.

n. Sí, escucho música todos los días.

o. No, no canta. Tiene una voz muy desagradable.

Actividad O

You have an earache and can't hear very well today. You have to question everything you hear. Change the following statements to questions.

1. La profesora entra en la clase.

_____

2. Tú trabajas en un banco.

_____

3. Josefina es inteligente.

_____

4. La madre prepara la comida.

_____

5. Ustedes compran un auto.

_____

6. Los tíos llegan al hotel.

_____

7. Nosotras contestamos bien.

_____

8. Usted desea bailar.

_____

9. El hermano visita a la familia.

_____

10. Mis hermanos miran la televisión.

_____

Your friend is very negative. She hears all your questions from **Actividad O** and responds "no" to each one.

EXAMPLE: ¿La profesora entra en la clase?   →   **No. La profesora no entra en la clase.**

1. _____

2. _____

3. _____

4. _____

5. _____

6. _____

7. _____

8. _____

9. _____

10. _____

El secreto de Antonio

El detective Vargas **habla** con la señora Fuentes, la mamá de Antonio:

DETECTIVE: Señora. Yo no **busco** problemas, pero hay un misterio aquí. Todos los días Antonio **camina** a la casa abandonada en la Avenida Bolívar y **entra** con una bolsa de plástico, **pasa** dos o tres minutos en la casa, y va a la escuela. Cuando **hablo** con Antonio y **pregunto** por qué, él no **desea contestar.**

hay *there is*

bolsa de plástico *plastic bag*

va *he goes*

MAMÁ: Ay, yo no sé, señor policía. Antonio no es un ángel pero es un muchacho bueno. Cuando **llega** a casa **trabaja** mucho. No **usa** mucho la computadora. No **mira** mucho la televisión. No **habla** por teléfono con los amigos... No es un delincuente.

yo no sé *I don't know*

DETECTIVE: Vamos a **visitar** la casa abandonada.
El detective Vargas y la mamá de Antonio **caminan** a la casa y **entran.** Allí hay un hombre pobre con un sándwich y una bolsa de plástico en una silla.

Vamos a... *Let's . . .*

hombre pobre *beggar, poor man*

Actividad Q

Complete these questions, based on the story.

1. ¿Con quién habla la señora Fuentes?

2. ¿Qué hace Antonio todos los días?

3. ¿Qué hace Antonio en casa?

4. ¿Dónde visitan la señora Fuentes y el detective?

5. ¿Quién está en la casa?

CONVERSACIÓN

Vocabulario

todos los días *every day*   **ahora** *now*

Fill in what the second person in the dialog would say.

Interview your partner. Take turns asking the following questions about different activities.

EXAMPLE: ¿Escuchas música?
Sí, (yo) escucho música todos los días.

1. ¿Hablas mucho por teléfono?

   _____

2. ¿Estudias las lecciones en casa?

   _____

3. ¿Miras la televisión todos los días?

   _____

4. ¿Bailas bien?

   _____

5. ¿Tomas el autobús para ir a la escuela?

   _____

¡Felicitaciones! Congratulations! The senior class has just chosen you as the student most likely to succeed. Tell your friends in ten sentences what you do (or don't do) to make you so successful. Start each sentence with **Yo...** or **Yo no...**

EXAMPLE: **Yo escucho con atención en la clase.**

estudiar   1. _____

practicar   2. _____

preparar   3. _____

contestar	4.	_____
hablar	5.	_____
usar	6.	_____
preguntar	7.	_____
trabajar	8.	_____
participar	9.	_____
mirar	10.	_____

1. Write a short email in which you introduce yourself to a prospective key pal using the Spanish you have learned so far. You may wish to include the following information: your name, your family members, and activities that you do and you don't.

2. Make a collage with pictures from magazines, the Internet, or newspapers of people doing any of the activities learned throughout lesson 4. For example, a picture of a man singing: **El hombre canta**.

3. Go through Lessons 1-4 and make a list of what you did not understand or is difficult for you. Make a plan to overcome those difficulties. Use your teacher's help.

Cápsula cultural

El hombre de oro: La leyenda de El Dorado

En español, «dorado» significa «de oro». Cuando los españoles llegaron a la América del Sur, ellos escucharon este cuento de los indígenas:

Había una tierra fabulosa y escondida que tenía muchas riquezas. Allí vivía un rey que practicaba una ceremonia muy interesante. Cada mañana el rey se bañaba con un aceite sagrado y luego se cubría con polvo de oro. Después, el rey iba a un lago sagrado para lavarse y así dejar el oro en el agua como un regalo para los dioses. La gente del reino también tiraba esmeraldas y objetos de oro en el lago. El rey se conocía como «El Dorado» y su reino se conoció con el mismo nombre.

La leyenda probablemente describe una ceremonia de los Chibcha, indígenas de una región en el norte de Colombia. Por muchos años, exploradores españoles e ingleses buscaron, sin éxito, la región de El Dorado.

Finalmente, un explorador español descubrió el Lago Guatavita en Colombia. Allí, se encontraron muchos ornamentos de oro y esmeraldas, pero ahora el gobierno colombiano no permite más exploraciones, para poder preservar el lago.

Hoy día, el nombre «El Dorado» se usa para describir un lugar legendario con muchas riquezas.

leyenda *legend*

de oro *golden*
llegaron *arrived*
  escucharon *heard*
indígenas *natives*
había *there was*
  escondida *hidden*
  riquezas *riches*
rey *king*
se bañaba *bathed*
  aceite *oil*
  sagrado *sacred*
se cubría *covered himself*
  polvo *dust*
  después *later*
  lago *lake*
lavarse *to wash off*
  dejar *to leave*
  dioses *gods*
se conocía *was known*

ahora *now*
  gobierno *government*
poder *be able*
hoy día *nowadays*

Comprensión

1. En español, El Dorado significa _____.

2. Según la leyenda, el rey se bañaba con _____ y después con

    _____.

3. Como ofrenda a los dioses, la gente del pueblo tiraba _____.

4. El lago donde hacían la ceremonia se llama _____.

5. Hoy día, se usa "El Dorado" para describir _____.

Investigación

Find another version of the Legend of El Dorado to read. Create a comic strip version of the story to share with your class. You can use any of the following comic strip creators to help with your project:

ToonDo: *http://www.toondoo.com/*

Strip Creator: *http://www.stripcreator.com/make.php*

Make Beliefs Comix: *http://www.makebeliefscomix.com/*

VOCABULARIO

bailar *to dance*
buscar *to look for*
caminar *to walk*
cantar *to sing*
comprar *to buy*
contestar *to answer*
desear *to want*
entrar *to enter, to get in*
escuchar *to listen*
estudiar *to study*

hablar *to speak*
llegar *to arrive*
mirar *to look*
practicar *to practice*
preguntar *to ask*
preparar *to prepare*
tomar *to take*
trabajar *to work*
usar *to use*
visitar *to visit*

él *he*
ella *she*
ellas *they* (fem.)
ellos *they* (masc.)
nosotros (as) *we*

usted *you* (sing.)
ustedes *you* (pl.)
tú *you* (sing., fam.)
yo *I*

Repaso I

Lección 1

Nouns in Spanish are either masculine or feminine. The definite article (English *the*) before masculine nouns is **el** and before feminine nouns **la**:

el **muchacho**	*la* **muchacha**
el **hombre**	*la* **mujer**

Lección 2

a. To make Spanish nouns ending in a vowel (**a, e, i, o, u**) plural, add **s** to the singular form. The definite article (*the*) before masculine plural nouns is **los** and before feminine plural nouns **las**:

el **gato**	*los* **gatos**
la **casa**	*las* **casas**

b. If a Spanish noun ends in a consonant, add **es** to form the plural:

el doctor	**los doctores**
la mujer	**las mujeres**

Lección 3

There are two ways to say *a* or *an* in Spanish:

un is used before a masculine singular noun:

> *un* **libro**
>
> *un* **lápiz**

una is used before a feminine singular noun:

> *una* **ventana**
>
> *una* **silla**

Lección 4

a. The subject pronouns are:

yo *(I)*	**nosotros, nosotras** *(we)*
tú *(you,* familiar)	
usted *(you,* formal)	**ustedes** *(you,* plural)
él *(he, it)*	**ellos** *(they)*
ella *(she, it)*	**ellas** *(they)*

b. In order to have a correct verb with each subject, the infinitive of the verb is changed so that the verb form agrees with the subject pronoun or noun. Drop the ending **-ar** and add the endings that belong to the different subjects. This step is called CONJUGATION.

EXAMPLE: **mirar** (to look)

If the subject is
yo	add **o**	to the remaining stem:	**yo miro**
tú	**as**		**tú miras**
usted	**a**		**usted mira**
él	**a**		**él mira**
ella	**a**		**ella mira**
nosotros } **nosotras**	**amos**		**nosotros** } **miramos** **nosotras**
ustedes	**an**		**ustedes miran**
ellos } **ellas**	**an**		**ellos** } **miran** **ellas**

We have just conjugated the verb **mirar** in the present tense.

c. To make a sentence negative in Spanish, that is, to say that a subject does not do something, put **no** directly before the verb:

> **Enrique *no* habla inglés.**
>
> **Nosotros *no* deseamos bailar.**

d. To ask a question, put the subject after the verb. An inverted question mark is placed at the beginning of a question:

> **¿Canta Enrique en español?**
>
> **¿Compra usted los sándwiches?**

How many of the words describing the pictures in the puzzle below do you remember? Fill in the Spanish words, and then read down the first column of letters to find the word for what all languages consist of.

1. ___ ___ ___ ___ ___

2. ___ ___ ___ ___ ___ ___ ___ ___ ___ ___

3. ___ ___ ___ ___ ___

4. ___ ___ ___ ___ ___ ___

5. ___ ___ ___ ___ ___ ___

6. ___ ___ ___ ___

7. ___ ___ ___ ___ ___ ___ ___ ___ ___

8. ___ ___ ___ ___

Actividad B

Buscapalabras. Find 18 Spanish nouns hidden in this puzzle. Circle them in the puzzle and list them below. The words may be read from left to right, right to left, up or down, or diagonally.

```
M  C  U  A  D  E  R  N  O  L
A  I  A  B  F  L  O  R  D  I
D  N  O  Í  T  Á  T  Í  E  V
R  E  G  L  A  P  A  T  B  Ó
E  F  H  A  L  I  B  R  O  M
I  J  J  E  U  Z  L  N  R  O
L  I  P  S  M  E  U  Ó  R  T
H  A  M  N  N  O  S  I  E  U
P  L  U  M  A  Q  A  V  P  A
H  O  M  B  R  E  S  A  T  U
```

1. _____   7. _____   13. _____

2. _____   8. _____   14. _____

3. _____   9. _____   15. _____

4. _____   10. _____   16. _____

5. _____   11. _____   17. _____

6. _____   12. _____   18. _____

Actividad C

Here are ten pictures of people doing things. Describe each picture, using the correct form of one of the following verbs.

bailar	**entrar**	**mirar**	**tomar**
cantar	**escuchar**	**practicar**	**trabajar**
comprar	**estudiar**	**preguntar**	**usar**
contestar	**hablar**	**preparar**	**visitar**

1. Mi amigo _____ mucho.

2. Rosa y María _____ por teléfono.

3. Nosotros _____ en la fiesta.

4. Yo _____ todos los días.

5. Los alumnos _____ el diccionario de español.

6. Mi madre _____ comida en el supermercado.

7. Ustedes _____ en el cine.

8. El hombre _____ en un banco.

9. Ellos _____ música rock.

10. Tú _____ un sándwich.

Actividad **D**

Acróstico. Using the clues on the left, write Spanish words that begin with the letters in the word **televisor** *(television set)*.

clue							
you (familiar)	T						
to study	E						
pencil	L						
to go in, enter	E						
to visit	V						
important	I						
young lady	S						
ordinary	0						
fast	R						

Oficina de objetos perdidos *(Lost and Found).* You are working in a lost-and-found office. With a partner, take turns telling which objects have been brought in.

EXAMPLE: **Hay una lámpara.**

Picture Story. Can you read this story? Much of it is in picture form. When you come to a picture, read it as if it were a Spanish word.

Carlos es un de los Estados Unidos. Él habla español en .

La de Carlos se llama Alicia; el se llama Alberto.

El padre es ; él trabaja en un . Él usa su para ir al .

La madre de Carlos es . Ella trabaja en una moderna.

Carlos estudia en una grande. En la clase, él usa muchas cosas: un ,

una , un y un . Terror y Tigre son dos animales de Carlos. Terror

es un 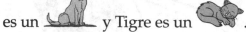 y Tigre es un 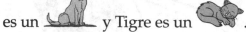 .

Segunda Parte

Uno, dos, tres...

How to Count in Spanish

1 ## Vocabulario

0-cero

1-uno	7-siete	13-trece	19-diecinueve	25-veinticinco
2-dos	8-ocho	14-catorce	20-veinte	26-veintiséis
3-tres	9-nueve	15-quince	21-veintiuno	27-veintisiete
4-cuatro	10-diez	16-dieciséis	22-veintidós	28-veintiocho
5-cinco	11-once	17-diecisiete	23-veintitrés	29-veintinueve
6-seis	12-doce	18-dieciocho	24-veinticuatro	30-treinta

NOTE: **Uno** and combinations of uno (**veintiuno, treinta y uno,** etc.) become **un** before a masculine noun and **una** before a feminine noun:

veintiún hombres   veintiuna muchachas

Actividad A

The TV announcer of the Spanish-speaking station is calling off the numbers of the cyclists as they cross the finish line. What is he saying?

ANUNCIADOR: **diez, ocho,** ________, ________, ________, ________, ________, ________, ________, **doce**

FINISH
20
11
16
10
12
7
5
15
14
8

Actividad B

Summer camp is over, and you are collecting your new friends' phone numbers. Write them out and say them aloud to verify that they are correct.

EXAMPLE: 852 6910 **ocho-cinco-dos-seis-nueve-uno-cero**

1. 780 5802 ______________________________

2. 596 9113 ______________________________

3. 486 3739 _____

4. 435 8720 _____

5. 671 0429 _____

6. 843 6923 _____

7. 522 5068 _____

Lotería nacional. The following numbers have come up. Announce them in Spanish and write them out.

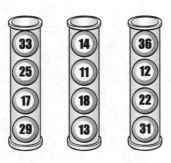

Your teacher will say some numbers in Spanish. Write the Arabic numerals.

EXAMPLE: You hear: **veinte**   You write: **20.**

1. _____   **5.** _____   **9.** _____

2. _____   **6.** _____   **10.** _____

3. _____   **7.** _____   **11.** _____

4. _____   **8.** _____   **12.** _____

Now match the numbers to the letters to reveal a hidden message:

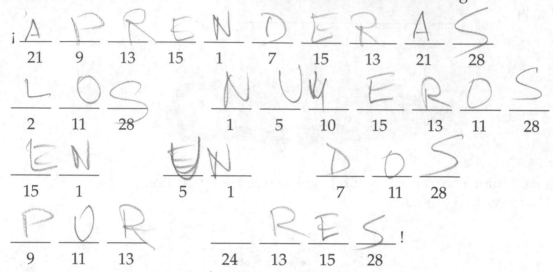

¡A P R E N D E R A S
21 9 13 15 1 7 15 13 21 28

L O S   N U M E R O S
2 11 28   1 5 10 15 13 11 28

E N   U N   D O S
15 1   5 1   7 11 28

P O R   R E S !
9 11 13   24 13 15 28

KEY:

1=N	9=P	15=E
2=L	10=M	21=A
5=U	11=O	24=T
7=D	13=R	28=S

Write the missing numbers. Then read the sequence aloud in Spanish.

1. 2, _____, 4   **4.** 30, _____, 32   **7.** 28, _____, 30

2. 5, _____, 7   **5.** 15, _____, 17   **8.** 22, _____, 24

3. 6, _____, 8   **6.** 19, _____, 21   **9.** 13, _____, 15

Actividad G

Tell your partner the number for each of the following.

1. number of books you keep in your locker _____

2. number of subjects you are taking _____

3. phone number dialed for emergencies _____

4. your house or apartment number _____

5. number of Spanish classes weekly _____

6. number of pets you have or you would like to have at home _____

7. number of hours you watch TV at home every day _____

8. number of minutes you take to eat breakfast _____

 Now that you know the Spanish words for the numbers 1 to 30, let's try some arithmetic in Spanish. First you have to learn the following expressions:

y	*and, plus* (+)	**dividido por**	*divided by* (÷)
menos	*minus* (−)	**son**	*are, equals* (=)
por	*times* (×)	**es**	*is, equals* (=)

EXAMPLES:
$3 + 2 = 5$ **tres y dos son cinco**
$4 - 3 = 1$ **cuatro menos tres es uno**
$4 \times 4 = 16$ **cuatro por cuatro son dieciséis**
$10 \div 2 = 5$ **diez dividido por dos son cinco**

Una canción de aritmética   **la canción** *song*

Dos y dos son cuatro,
Cuatro y dos son seis,
Seis y dos son ocho,
Y ocho, dieciséis.
Y ocho, veinticuatro,
Y ocho, treinta y dos,
Así es la aritmética,   **así** *so, thus*
Un genio soy yo.   **yo soy** *I am*

Read the following numbers in Spanish. Then write out each problem in numerals.

1. Quince menos dos son trece. _____

2. Once y diez son veintiuno. _____

3. Seis por cinco son treinta. _____

4. Doce dividido por tres son cuatro. _____

5. Catorce dividido por dos son siete. _____

6. Nueve y once son veinte. _____

7. Dieciséis menos quince es uno. _____

8. Ocho por tres son veinticuatro. _____

9. Trece por dos son veintiséis. _____

10. Trece y doce son veinticinco. _____

Write the following examples in Spanish, then read them aloud.

1. $21 + 3 = 24$ _____

2. $19 - 2 = 17$ _____

3. $4 \times 7 = 28$ _____

4. $8 \div 4 = 2$ _____

5. $12 + 3 = 15$ _____

6. $30 - 5 = 25$ _____

7. $4 \times 5 = 20$ _____

8. $16 \div 2 = 8$ _____

9. $10 + 9 = 19$ _____

10. $28 - 7 = 21$ _____

Complete these sentences in Spanish.

1. Tres y siete son _____.

2. Cuatro menos tres es _____.

3. Dos por dos son _____.

4. Tres dividido por tres es _____.

5. Diez y cinco son _____.

6. Diez menos cinco son _____.

7. Diez dividido por cinco son _____.

8. Uno por uno es _____.

9. Doce menos once es _____.

10. Diez y siete son _____.

Letter	Pronunciation	English examples of sound	Spanish examples
h	always silent, never pronounced	<u>h</u>our, <u>h</u>onest	a<u>h</u>ora, <u>h</u>asta, <u>h</u>ombre

Hola, Heriberto. ¿Qué has hecho hoy?

The scene of this story is a shop where Roberto and his friend Rosita want to buy some videogames. Read on to find out how they do it. But first make sure you know your numbers, because there are many in the story.

La tienda de videojuegos

Personajes:	Roberto, un muchacho de 15 años. Rosita, su amiga de 14 años.	
DEPENDIENTE:	Buenos días, muchachos, ¿Qué desean ustedes?	**dependiente** *clerk*
ROBERTO:	Deseamos estos videojuegos. ¿Cuánto cuestan?	**estos** *these* **¿Cuánto cuestan?** *How much are they?*

DEPENDIENTE: El total es **treinta** dólares y **treinta** centavos.

ROBERTO: ¿**Treinta** dólares y **treinta** centavos? ¡Es mucho dinero!

dinero *money*

DEPENDIENTE: No, no es mucho. Son unos videojuegos muy populares.

ROBERTO: Aquí tengo **veinte** dólares. Necesito **diez** dólares y **treinta** centavos.

ROSITA: Yo tengo **diez** dólares y varias monedas.

monedas *coins*

ROBERTO: ¡Perfecto! **Cinco, diez, quince, veinte, veinticinco, treinta**.

DEPENDIENTE: ¡Exacto!

ROBERTO: Oh, gracias Rosita. ¡Qué buena amiga eres!

ROSITA: Sí, especialmente cuando tengo dinero, ¿verdad?

Complete these sentences, which are based on the conversation you have just read.

1. Roberto es un muchacho de _____ años.

2. Rosita es una muchacha de _____ años.

3. El dependiente pregunta: ¿_____ ?

4. Roberto contesta: _____.

5. Los videojuegos cuestan_____.

6. Roberto cuenta: cinco, diez _____.

You were asked to make a list of the number of students in your classes. How many students are there in each class? How many boys and girls? Give the numbers in Spanish.

CLASE	Número de alumnos	Número de alumnos	Número de alumnos
Matemáticas			
Español			
Ciencias Sociales			
Ciencias			
Inglés			

Para conversar en clase

Work with a partner, and ask him or her the following questions.

EXAMPLE: **Necesito ocho dólares para comprar un libro.**

¿Cuánto dinero necesitas para...

1. comprar un videojuego?

2. tomar el autobús?

3. comprar un chocolate?

4. entrar en el cine?

Vocabulario

dulces *candy* **más** *more* **vamos** *let's go* **a** *to*

DIÁLOGO

Complete this conversation between these two friends.

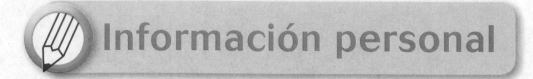
Información personal

Your school requires that every student fill out an information card for the school records. Supply the following information in Spanish, writing out all the numbers.

Nombre: _____

Apellido: _____

Edad: _____años

En mi familia hay_____ personas

Número de hermanos: _____

Número de hermanas: _____

Mi número de teléfono es _____.

El número de mi casa es _____.

Mi número de estudiante es _____.

¡Practícalo!

1. Using vocabulary you've learned so far, make a list of objects and people in your house or class, saying how many there are, for example: **hay cuatro lámparas**. Use the formula **"En mi casa hay..."** (*In my house there is/are...*) Share your information with a classmate to see if you have similar or different responses.

2. Collect different items with numbers on them (lottery tickets, price labels, bus tickets, etc.) and write out those numbers in Spanish.

Cápsula cultural

El dinero

Si quieres comprar algo en los Estados Unidos, usas dólares. Pero si viajas a un país en Hispanoamérica, hay que saber qué moneda usan. En diferentes países se usa dinero diferente. Pero ¡ojo! En algunos países, el dinero tiene el mismo nombre, pero el valor es diferente. Estudia los nombres de algunas monedas de varios países hispanohablantes.

si quieres *if you want*
  pero *but*
país *country*
  hay que saber *one must know*
  moneda *currency*
¡ojo! *watch out!*
mismo *same*

Dinero	País
el euro	España
el peso	Argentina, Colombia, México, Chile, Cuba, República Dominicana, Uruguay
el quetzal	Guatemala
el colón	El Salvador, Costa Rica
el lempira	Honduras
el guaraní	Paraguay
el córdoba	Nicaragua
el balboa	Panamá
el bolívar	Venezuela
el dólar	Ecuador
el nuevo sol	Perú
el dólar	Puerto Rico

```
         *      EROSKI      *
                ALCOY
CTRA. VALENCIA S/N   CIF:   B-48231351
    CECOSA HIPERMERCADOS S.L.
23-11-2011  19:31  009  16  7838  C:5010
- - - - - - - - - - - - - - - - - - -
FRESCOS
   HUEVO FRESCO M DO           1,05
   PIZZA MAXI BARBACO          3,19
   JAMON 250+250               6,00
   ENTRECOT DE ANOJO           9,21
ALIMENTACION
   AGUA FONT-VELLA 1,          0,50
   ACEITUNA RELL.SUAV          1,05
   PATATAS CAMPESINAS          1,30
   ACEITUNA NEGRA
     2 ×     0,81              1,62
   P.LECHE B. EASO 350         2,10
   S/CORTEZA BIMBO 61          2,30
   LECHE BOT ENT ASTUR
     2 ×     1,35              2,70
   TORTA IMPERIAL              3,99
   TURRON DURO C.S.
     3 ×     1,99              5,97
   TURRON BLANDO C.S.
     3 ×     1,99              5,97
   TURRON YEMA TOSTAD          6,89
   V.TTO.CZA.GCOLEGIA          8,36
PERFUMERIA
   JABON MAGNO                 1,65
HOGAR
   BOLSA EROSKI OXO
     4 ×     0,01              0,04
- - - - - - - - - - - - - - - - - - -
A pagar                      63,89
- - - - - - - - - - - - - - - - - - -
```

Si vas de compras en Hispanoamérica, puedes ver precios así: huevo 1,05 (estudia el recibo). Si parece extraño, es porque en España se usa una coma, mientras que en los Estados Unidos usamos un punto, y vice versa.

puedes ver *you can see*
huevo *egg*
  recibo *receipt*
  parece extraño *seems odd*
coma *comma*
mientras que *while*
punto *period*

Comprensión

Match each country with the name of the money it uses by writing the correct letter in the blank.

1. _____ Paraguay   a. el nuevo sol
2. _____ Costa Rica   b. el bolívar
3. _____ Venezuela   c. el quetzal
4. _____ España   d. el peso
5. _____ Perú   e. el euro
6. _____ México   f. el guaraní
7. _____ Guatemala   g. el dólar
8. _____ Panamá   h. el balboa
9. _____ Ecuador   i. el colón

Investigación

Work in groups. Choose a Spanish-speaking country and investigate the images on their bills and coins. Fill out a chart with information and images about the people (**la gente**), the places (**los lugares**), and the things (**las cosas**) that appear on your chosen country's currency. Include images from the Internet. Share your information with the class.

VOCABULARIO

cero *zero*
uno *one*
dos *two*
tres *three*
cuatro *four*
cinco *five*
seis *six*
siete *seven*
ocho *eight*
nueve *nine*
diez *ten*

once *eleven*
doce *twelve*
trece *thirteen*
catorce *fourteen*
quince *fifteen*
dieciséis *sixteen*
diecisiete *seventeen*
dieciocho *eighteen*
diecinueve *nineteen*
veinte *twenty*

veintiuno *twenty-one*
veintidós *twenty-two*
veintitrés *twenty-three*
veinticuatro *twenty-four*
veinticinco *twenty-five*
veintiséis *twenty-six*
veintisiete *twenty-seven*
veintiocho *twenty-eight*
veintinueve *twenty-nine*
treinta *thirty*

dividido por *divided by*
es *is, equals*
menos *minus*
por *times* ($\times$)
son *are, equals*
y *and, plus*

¿Cuánto cuesta? *How much is it?*
dinero *money*
más *more*
monedas *coins*
número *number*

6

¿Qué hora es?

 **1** ¿Qué hora es?

Es la una.

Son las dos.

Son las tres.

Son las cuatro.

Son las cinco.

Son las seis.

Now see if you can write the time for each clock.

_____   _____   _____

_____   _____

Es la medianoche.   **Es el mediodía.**

How do you say "What time is it?" in Spanish? _____

What Spanish word is used to express "it is" when saying "it is one o'clock"?

_____

What Spanish word is used to express "it is" when saying any other hour?

_____

How do you say "it is noon"? _____

How do you say "it is midnight"? _____

2   Now study these:

Es la una y veinte.

Son las dos y dieciséis.

Son las cuatro y veinticinco.

Son las nueve y diez.

How do you express time after the hour? _____

How would you say?

_____

_____

_____

_____

_____

_____

_____

3 Now study these:

Son las doce menos cinco.

Son las tres menos veinte.

Son las diez menos veinte.   **Es la una menos siete.**

How do you express time before the hour?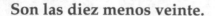

 Unlike English, Spanish does not have an equivalent for the expression *o'clock*. Instead, it uses the definite article and a number (**la una, las dos**, etc.). **Es la** is used for one o'clock and its divisions (**Es la una**). For all other time expressions, use **Son las** (**Son las siete**).

To express time AFTER the hour, up until and including half-past, use **y** and add the number of minutes (**Son las siete y cinco**).

After half-past, to express time BEFORE the next hour, use **menos** and subtract the number of minutes from that next hour (**Son las nueve menos cinco**).

How would you express these times?

_____

_____

_____

_____

_____

_____

_____

4 Now study these:

Es la una y cuarto.

Es la una menos cuarto.

Son las cinco y cuarto.   **Son las cinco menos cuarto.**

What is the special word for "a quarter"?_____

How do you say "a quarter after"?_____

How do you say "a quarter to"?_____

How would you express the following times?

4: 15   _____

11:45   _____

3:45   _____

7: 15   _____

9:45   _____

12: 15   _____

 Now study these:

Son las cinco y media.   **Es la una y media.**

What is the special word for "half past"? _____

How do you express "half past the hour"? _____

Express the following times.

 _____

 _____

 _____

 _____

 The Spanish word for *quarter* is **cuarto**. *A quarter after* is expressed **... y cuarto**. *A quarter to* is expressed **... menos cuarto**.

The word for *half* is **media**. *Half past the hour* is expressed **... y media**.

Actividad A

You are visiting a new school for the day. Your buddy is helping you to figure out the schedule by telling you the time and the activity you will be doing. When you hear the time, write it out in numerals.

EXAMPLE: Son las dos.   **2:00**

1. Es la una menos veinticinco. Vamos a comer a la cafetería. _____

2. Son las once y cuarto. Tenemos clase de música. _____

3. Es mediodía. Hay un receso. _____

4. Son las diez menos once. Vamos a la clase de educación física. _____

5. Son las nueve y cinco. Hay que ir a la biblioteca. _____

6. Es la una y media. Tenemos una cita con la consejera. _____

7. Son las tres y veinte. Vamos a la clase de español. _____

8. Son las doce menos cuarto. Jugamos fútbol en el patio antes de las clases.

   _____

9. Son las cinco menos veinte. Hay un concierto en el teatro. _____

10. Son las siete y cuarto. ¡Vamos a casa! _____

Actividad B

You are at the airport and you see a wall with clocks from all around the Spanish-speaking world. What time does each one show?

ESPAÑA

COSTA RICA

1. _____   2. _____

PERÚ

3. _____

ARGENTINA

4. _____

PUERTO RICO

5. _____

CUBA

6. _____

NICARAGUA

7. _____

GUATEMALA

8. _____

COLOMBIA

9. _____

REPÚBLICA DOMINICANA

10. _____

Actividad C

Here are some broken clocks. Each one has the minute hand missing. Can you tell where each one belongs?

1. Son las dos.

2. Son las nueve y once.

3. Son las cuatro y media.

4. Son las tres y cuarto.

5. Son las seis menos veinticinco.

6. Son las once y cinco.

7. Son las cinco menos diez.

8. Es medianoche.

9. Es la una y cuarto.

Now you know what to say when someone asks **¿Qué hora es?** But how do you reply if someone asks **¿A qué hora?** (*At what time?*)? Look at these questions and answers.

¿A qué hora **comes el almuerzo?**	*At what time do you have lunch?*
Como el almuerzo *a la una.*	*I have lunch at one o'clock.*

¿A qué hora **preparas la tarea?**	*At what time do you prepare your homework?*
Preparo la tarea *a las cinco y media.*	*I prepare my homework at five thirty.*

If you want to express "at" a certain time, which Spanish word do you use before the time? _____

> To express *at* a certain time, use the preposition **a** and the time: **Estudio a las cinco.**

Following the examples above, complete the following sentences indicating a specific time.

1. Estudio español _____.

2. Miro la televisión _____.

3. Escucho música _____.

4. Entro en la escuela _____.

5. Camino en el parque _____.

6. Uso la computadora _____.

7. Hablo con mis amigos _____.

If you want to be more specific about the time of day, here is what you say:

Yo tomo el autobús a las siete y media *de la mañana.*
Mi padre llega del trabajo a las seis *de la tarde.*
Nosotros miramos la televisión a las ocho *de la noche.*

How do you express "in the morning" or "A.M." in Spanish? _____

How do you express "in the afternoon" or "P.M."? _____

How do you express "in the evening"? _____

A.M.	(in the morning):	**de la mañana**
P.M.	(in the afternoon):	**de la tarde**
P.M.	(in the evening):	**de la noche**

Complete the following:

1. María toma el tren a las _____. (8:00 A.M.)

2. Comemos a las _____. (3:30 P.M.)

3. Mi hermano juega videojuegos a las _____. (9:15 P.M.)

4. Las chicas hablan por teléfono a las _____. (7:45 P.M.)

5. Miras la televisión a las _____. (8:00 P.M.)

6. Ellos toman el bus escolar a las _____. (7:15 A.M.)

7. Estudiamos para el examen a las _____. (10:45 A.M.)

8. Los niños cantan en el coro a las _____. (12:00 A.M.)

9. Esteban baila en la clase de baile a la _____. (1:00 P.M.)

10. Mando un mensaje en la computadora a las _____. (11:15 A.M.)

Here are some daily activities. Choose the most likely answer to the question **¿Qué hora es?** and write it in numbers.

Es la una y media de la tarde.
Son las siete de la mañana.
Son las tres de la tarde.

Son las siete y media de la noche.
Son las cuatro de la tarde.
Son las siete y cuarto de la mañana.

1.  _____ 7:00 A.M. _____

2. _____

Son las ocho y media de la mañana.
Son las once de la noche.
Es la una y cuarto de la tarde.

3. _____

Son las ocho de la noche.
Son las seis de la mañana.
Son las diez de la mañana.

4. _____

Son las siete de la noche.
Son las dos de la tarde.
Es mediodía.

5. _____

Son las dos y media de la tarde.
Son las ocho y cinco de la noche.
Son las nueve menos cinco de
la mañana.

6. _____

Son las tres de la tarde.
Son las once y media de la mañana.
Son las dos menos veinte de la tarde.

7. _____

Son las scis de la noche.
Son las diez menos diez de la noche.
Es la una de la mañana.

8. _____

Son las cuatro menos diez de la tarde.
Es mediodía.
Son las diez y cuarto de la noche.

Es medianoche.
Son las diez y cinco de la mañana.
Son las nueve y media de la mañana.

9. _____

10. _____

Actividad E

Your school counselor has asked for your class schedule. Prepare it.

EXAMPLE: español   **La clase de español es a las diez menos diez.**

1. inglés   _____
2. historia   _____
3. matemáticas   _____
4. música   _____
5. ciencias   _____
6. arte   _____
7. educación física _____
8. tecnología   _____
9. almuerzo   _____
10. teatro   _____

Pronunciación

Letter	Pronunciation	English example of sound	Spanish examples
ll	y	<u>y</u>es	tortilla, amarillo, millonario

La tortilla está en la silla amarilla.

Now read this dialog and answer the questions that follow.

¿Qué hora es?

JUAN: Mamá, **¿qué hora es?**

MAMÁ: ¿No escuchas la televisión? **Son las nueve y media,** hijo.

JUAN: **¿Las nueve y media?** Es imposible. En mi reloj **son las ocho y diez.**

MAMÁ: Tu reloj no funciona bien. Necesitas otro reloj. ¿Por qué no compras un reloj nuevo?

JUAN: Sí, sí, necesito un reloj nuevo. Pero ahora es tarde y tengo un examen en mi clase de inglés hoy a las **diez.**

MAMÁ: ¿Hoy? ¿Un examen de inglés? ¡Pero hoy es sábado! El sábado no hay clases en la escuela.

JUAN: ¿Es sábado hoy? ¡Qué sorpresa! Sí, gracias a Dios, es sábado.

en *on*
el reloj *watch*
funcionar *to work*
¿por qué? *why?*
nuevo *new*
ahora *now*
tarde *late*

hoy *today*
sábado *Saturday*
gracias a Dios
   thank goodness

Answer the questions in Spanish.

1. ¿Qué le pregunta Juan a la mamá?

_____

2. ¿Qué hora es en el reloj de Juan?

_____

3. ¿Qué hora es en la televisión?

_____

4. ¿Por qué necesita Juan un reloj nuevo?

_____

5. ¿En qué clase hay un examen?

_____

6. ¿Por qué no hay clases hoy?

_____

CONVERSACIÓN

Vocabulario

en casa de *at the house of*
el viernes *Friday*

el sábado *Saturday*
tonto, -a *silly*

DIÁLOGO

Complete the dialog using the suitable expressions.

Información personal

Interview your partner. Take turns asking and answering the following questions.

1. ¿A qué hora practicas deportes o juegas videojuegos?

_____

2. ¿A qué hora llegas a la escuela?

_____

3. ¿A qué hora entras en la clase de español?

_____

4. ¿A qué hora miras la televisión?

_____

5. ¿A qué hora preparas la tarea?

_____

¡Practícalo!

1. You do certain things at the same time every day. Say at what time you usually do the following.

EXAMPLE: tomar el autobús   **Tomo el autobús a las siete y media de la mañana.**

1. llegar a la escuela
2. entrar a la clase de español
3. hablar por teléfono
4. usar la computadora
5. preparar la tarea

6. llegar a casa
7. mirar la televisión
8. estudiar las lecciones de español
9. enviar mensajes de texto
10. comer el almuerzo

2. Tell how you spend the day. Write complete sentences indicating what you do at a particular time. Report on as many activities as you can.

Cápsula cultural

Las comidas

La gente de Hispanoamérica es muy diversa – tanto en su comida, como en la hora de comer.

El desayuno (*breakfast*) se sirve entre las siete y las nueve de la mañana. Un desayuno típico en España es ligero. Por ejemplo, se come un **pan tostado con mantequilla** (*toast and butter*) y un **café con leche** (*coffee with hot milk*). Un desayuno típico es **chocolate caliente** (*thick hot chocolate*) **con churros**.

Churros son palitos de masa frita con azúcar en polvo. La masa se fríe en ollas grandes de aceite caliente. Los **churros** se comen a cualquier hora del día, pero en España, la mayoría de la gente come **churros** por la mañana con su café o chocolate caliente.

El almuerzo (o **la comida** en España) suele ser la comida más grande del día. Se come típicamente entre mediodía y las dos de la tarde. El almuerzo típico hispanoamericano es diferente a los almuerzos rápidos de los Estados Unidos. En vez de un sándwich rápido con una soda, el almuerzo es una comida grande, con sopa, carne o pescado, vegetales, ensalada, y un postre.

La comida en Latinoamérica normalmente se come después de las siete de la noche. En España, **la cena** típicamente se come después de las nueve o diez de la noche.

¿Notas que este horario deja mucho tiempo entre el almuerzo y la cena sin comida? En otra **Cápsula cultural** vamos a descubrir cómo se resuelve este problema.

gente *people*
comida *food, meal*

se sirve *is served*
ligero *light*

palitos *sticks*
  masa *dough*
se fríe *is fried*
cualquier *any*

rápido *fast*
carne *meat*
  pescado *fish*
postre *dessert*

horario *schedule*
cómo *how*
  se resuelve *is solved*

Comprensión

1. _____ se sirve entre las siete y las nueve de la mañana.

2. Churros con chocolate consiste en _____.

3. En España, la comida es la _____ en Hispanoamérica.

4. La comida más grande del día es _____.

5. En España, la comida se come muy _____.

Investigación

Compare the eating times of the Spanish-speaking peoples with our own. What are the benefits or advantages of each?

VOCABULARIO

a la una *at one o'clock*
a las dos *at two o'clock*
¿Qué hora es? *What time is it?*
Son las dos. *It's two o'clock.*
Son las dos menos cinco. *It's five to two.*
Son las dos y cuarto. *It's a quarter after two.*
Son las dos menos cuarto. *It's a quarter to two.*
Son las dos y media. *It's half past two.*
Son las dos de la mañana. *It's two o'clock* A.M.
Son las dos de la tarde. *It's two o'clock* P.M.
Son las diez de la noche. *It's ten o'clock in the evening.*

ahora *now*
hoy *today*
la mañana *morning*
mañana *tomorrow*
el reloj *watch*
la tarde *afternoon*
tarde *late*

Otras actividades

Present Tense of -ER Verbs

1 ## Vocabulario

This new group of verbs belongs to the **-er** conjugation. Can you guess their meanings?

aprender la geografía

beber un refresco

comer los tacos

comprender las matemáticas

correr en el parque

creer en él

leer un libro

responder la pregunta

vender el suéter

ver la luna

You probably noticed that these verbs don't end in **-ar** but in _____ .

You will recall how we made changes in **-ar** verbs by dropping the **-ar** and adding certain endings. Well, we must do the same with **-er** verbs, but the endings are slightly different. Let's see what happens. Read the conversation, look for the **-er** verbs, and try to spot the endings.

PEDRO:	Juan, ¿qué **lees**?
JUAN:	**Leo** una novela para mi clase de inglés. ¿Qué **leen** ustedes?
PEDRO Y LILIANA:	Nosotros **leemos** una novela también.
JUAN:	¿Oh sí? **Creo** que todos los alumnos de la señora Fernández **leen** mucho.
PEDRO:	La señora Fernández **cree** que si usted no **lee**, no **aprende**.
LILIANA:	Si no **aprende**, no pasa el curso.
TODOS :	¡Ay, ay, ay! **Comprendemos**. ¡Es importante leer!

mucho *a lot*

si *if*

Using the examples in the previous conversation, fill in the correct endings of the verb **leer**.

yo	le _____		*I read, I am reading*
tú	le _____		*you read, you are reading* (familiar singular)
usted	le _____		*you read, you are reading* (formal singular)
él	le _____		*he reads, he is reading*
ella	le _____		*she reads, she is reading*
nosotros } nosotras }	le _____		*we read, we are reading*
ustedes	le _____		*you read, you are reading* (plural)
ellos } ellas }	le _____		*they read, they are reading*

Actividad A

Match the sentences with the pictures they describe.

Nosotros leemos el periódico.
El niño bebe la leche.
Los perros aprenden a bailar.
Los muchachos comen en la cafetería.

El señor Pérez vende frutas.
Tú corres por el parque.
Julia no comprende el problema.
Yo siempre respondo en clase.

1. _____

2. _____

3. _____

4. _____

5. _____

6. _____

7. _____

8. _____

3   Let's practice some other **-er** verbs:

	responder	comprender	creer
yo	_____	_____	_____
tú	_____	_____	_____
usted	_____	_____	_____
él	_____	_____	_____
ella	_____	_____	_____
nosotros	_____	_____	_____
nosotras	_____	_____	_____
ustedes	_____	_____	_____
ellos	_____	_____	_____
ellas	_____	_____	_____

Actividad B

You and your friends are working in a department store for the summer. What are you selling?

EXAMPLE: yo / platos
Yo vendo platos.

1. Carlos / los videojuegos _____

2. tú / televisores _____

3. nosotros / libros _____

4. María y Ana / blusas _____

5. usted / vaqueros _____

6. Rosa / bicicletas _____

7. Milagros / teléfonos _____

8. José y Santiago / computadoras _____

Actividad C

It's lunch time and you and your friends discuss what everyone's eating.

EXAMPLE: Claudio / una banana
Claudio come una banana.

1. yo / un sándwich _____

2. Jorge y José / frutas _____

3. tú / una hamburguesa _____

4. Ramona / una ensalada _____

5. nosotros / chocolate _____

6. usted / pollo _____

7. Josefina / vegetales _____

8. Marcos y Luisa / pasta _____

 There are other **-er** verbs which differ slightly from the pattern we have just learned.

Three important ones are:

querer	*to want*
saber	*to know (something)*
ver	*to see*

First, let's examine **saber** and **ver**:

yo	*sé*	*veo*
tú	sabes	ves
usted		
él	sabe	ve
ella		
nosotros	sabemos	vemos
nosotras		
ustedes		
ellos	saben	ven
ellas		

Did you notice that the only irregular form in both verbs is **yo**?

Yo *sé.*
Yo *veo* (does not drop the *-e* of the ending).

Let's do a few examples. Write the correct form of the verb **saber**.

1. Carlos _____ bien la lección.

2. Ellos no _____ la dirección.

3. ¿_____ usted la hora?

4. Yo no _____ nada de astrofísica.

5. Niño, tú _____ mucho acerca de los videojuegos más populares.

Now, write the correct form of **ver**.

1. ¿_____ usted la casa que está en la esquina?

2. Yo no _____ la escuela.

3. Alejandro y yo _____ el avión en el cielo.

4. Ellas _____ el problema.

Next, let's look at the verb **querer**.

yo	qu*i*ero
tú	qu*i*eres
usted ⎫	
él ⎬	qu*i*ere
ella ⎭	
nosotros ⎫	queremos
nosotras ⎭	
ustedes ⎫	
ellos ⎬	qu*i*eren
ellas ⎭	

Here we see a different kind of change.

In all its forms (except **nosotros(as)** — *we*) there is an extra letter (which one?) The expected *e* becomes *ie*.

Now let's see if you can do some. What do these people want? Complete the sentences with the correct forms of **querer**.

1. Tú _____ un gato.

2. Él _____ una bicicleta.

3. Usted _____ un videojuego.

4. Yo _____ una flor.

5. Nosotros _____ hablar español.

Read the following conversation. See if you can find all the forms of **querer**.

La persona más importante

MAMÁ:	Mañana vamos a un picnic en el parque. ¿Qué quieren comer ustedes?	**vamos** *we are going*
JUAN:	Yo quiero pizza con soda.	
MARÍA Y ROSA:	Nosotras queremos tacos y hamburguesas.	
MAMÁ:	Y tú, Jaime, ¿qué quieres comer?	
JAIME:	Yo quiero un sándwich.	
MARÍA:	Mamá, mis amigas Luisa y Marta quieren ir.	
MAMÁ:	Está bien. Ahora quiero hablar con la persona más importante.	**más** *most, more*
TODOS:	¿Quién es la persona más importante?	
MAMÁ:	Tú papá. ¡Él tiene el mapa para llegar al parque!	**él tiene** *he has*

You and your friends are discussing what to do this weekend. Write sentences with the correct form of **querer**.

EXAMPLE: Gabriela / comer pizza
Gabriela quiere comer pizza.

1. Mario / practicar fútbol

_____

2. tú / jugar videojuegos

_____

3. ustedes / mirar televisión

_____

4. María / visitar un museo

_____

5. yo / correr en el parque

_____

6. Juan y Manuel / pasar tiempo con amigos

_____

7. usted / comprar un libro

_____

8. ellas / comer una hamburguesa con queso

_____

9. José y yo / estudiar el español

_____

10. ellos / hablar por teléfono

_____

5 Now let's compare an **-ar** verb with an **-er** verb. How are they similar and how are they different?

	trabaj*ar*	**aprend*er***
yo	trabaj*o*	aprend*o*
tú	trabaj*as*	aprend*es*
usted él ella	trabaj*a*	aprend*e*
nosotros nosotras	trabaj*amos*	aprend*emos*
ustedes ellos ellas	trabaj*an*	aprend*en*

Notice that the **yo** form has the same ending in both the **-ar** and **-er** verbs: **yo trabaj*o*, yo aprend*o***. In all other forms, however, the **-ar** verbs have endings in *a* or that begin with *a* while the **-er** verbs have endings in *e* or that begin with *e*.

Match the verb with the correct subject pronoun (**¡Ojo!** Several sentences have more than one possible match.)

1. ustedes	**a.** aprendes
2. ella	**b.** comprendo
3. nosotros	**c.** ven
4. ellos	**d.** leemos
5. tú	**e.** come
6. él	**f.** correr
7. usted	**g.** vemos
8. ellas	**h.** venden
9. ellos	**i.** respondo
10. yo	**j.** crees

Now write out the sentences that you created and add details. Follow the example.

EXAMPLE: **Nosotras** *vendemos frutas en el mercado.*

1. Ustedes _____.

2. Ella _____.

3. Nosotros _____.

4. Ellos _____.

5. Tú _____.

6. Él _____.

7. Usted _____.

8. Ellas _____.

9. Ellos _____.

10. Yo _____.

Tell what each member of the family is doing. Add the correct forms of the verbs.

1. (*comprender*) Mis tíos _____ a mis padres.

2. (*comer*) Mi hermano _____ un taco.

3. (*leer*) Mi papá _____ el periódico.

4. (*beber*) Nosotros _____ café.

5. (*vender*) Usted _____ la bicicleta.

6. (*ver*) Yo _____ a mi gato en el jardín.

7. (*querer*) Tú _____ una novela para leer.

8. (*correr*) Los perros _____ por la casa.

9. (*saber*) Yo _____ la lección para mañana.

10. (*aprender*) El bebé _____ a caminar.

Actividad G

Complete these sentences with the correct Spanish form of the verb in parentheses.

1. (*aprender*) Nosotros _____ a bailar.

2. (*vender*) Juanito _____ su bicicleta.

3. (*correr*) Mi gato _____ en casa.

4. (*comer*) Ellos _____ rápidamente.

5. (*responder*) Mi hermana _____ el teléfono.

6. (*saber*) Yo no _____, señor.

7. (*querer*) Ustedes _____ comer.

8. (*ver*) Tú _____ a mi papá.

9. (*comprender*) Los turistas _____ muchos idiomas.

10. (*querer*) Las alumnas _____ estudiar la lección.

11. (*comprender*) El muchacho _____ al profesor.

12. (*leer*) Nosotras _____ todos los días.

 There are two important points of grammar you must learn: the contraction **al** and the personal **a**. First, the basic meaning of the preposition **a** is *to*.

Ellos caminan a la estación.   *They walk to the station.*
Yo corro a la tienda.   *I run to the store.*

 If the preposition **a** comes directly before the article **el** (*the*), the two words combine to form the word **al (a + el = al).**

Ella camina *al* parque.   *She walks to the park.*
(a + el parque = *al* parque)

Complete the following sentences inserting the preposition **a**. If *al* is needed, cross out **el**.

1. Ellos caminan _____ la escuela.

2. Corremos _____ el hospital.

3. Tú llegas _____ la estación.

4. Vamos _____ cine.

There's another important use of the preposition **a**, the personal **a**. Look at these sentences:

(Yo) no comprendo a mi papá.   *I don't understand my father.*
Tú le respondes a la profesora.   *You answer the teacher.*
Rosa ve a su perro.   *Rosa sees her dog.*

Which is the extra word in the Spanish sentences for which there is no equivalent in the English sentences? _____

> When the object of a verb is a person or a pet **(mi papá, la profesora, su perro)**, the preposition **a** comes before the object even though the **a** has no equivalent in English.

Complete the following sentences inserting the preposition **a** when needed.

1. I see the houses.   Veo _____ .

2. I see the boys.   Veo _____ .

3. I visit the school.   Visito _____ .

4. I visit my friend.   Visito _____ .

5. I understand the lesson.   Comprendo _____ .

6. I understand the teacher. Comprendo _____ .

7. I answer the question.   Respondo _____ .

8. I answer my mother.   Respondo _____ .

Actividad **H**

Complete the following sentences using the personal **a** when needed. If the personal **a** is not needed, leave the blank empty. If **al** is needed, cross out **el**.

1. Comprendemos _____ el español.

2. Comprendemos _____ la profesora.

3. Yo no veo _____ el actor.

4. Yo no veo _____ el avión.

5. Los alumnos escuchan _____ música.

6. Los alumnos escuchan _____ el señor Mendoza.

7. María visita _____ la directora.

8. María visita _____ el museo.

9. No comprendo _____ mi amigo.

10. No comprendo _____ la pregunta.

11. Yo contesto _____ la pregunta.

12. Yo contesto _____ el profesor Rivera.

Pronunciación

Letter	Pronunciation	English examples of sound	Spanish examples
ñ	ni, ny	ca<u>ny</u>on, o<u>ni</u>on	español, mañana, señora

La niña tiene una muñeca española.

Pepe y su perro

Pepe, un muchacho de doce años, tiene un perro que se llama Lobo. Lobo es un perro muy inteligente, y **aprende** rápidamente.

Pepe ayuda a sus padres. Trabaja en un supermercado todos los días. Lobo **quiere correr** en el parque y espera a Pepe en casa.

ayudar *to help*

esperar *to wait (for)*

Cuando **ve** al muchacho, **quiere** salir a la calle.

—¡Lobo, **corre** al parque! El perro **comprende y responde**:
—¡Guau, guau!

A las seis de la tarde, Pepe y Lobo entran en la casa. Lobo **tiene** hambre; **quiere** comer. Pepe saca una lata de comida para perro pero Lobo no está interesado. Pepe saca un pedazo de pollo y una hamburguesa pero el animal no quiere comer estas cosas tampoco.

tener hambre
to be hungry

sacar *to take out*

una lata *a can*

tampoco *either*

Pepe **come** pizza y el perrro quiere un pedazo también. (¿Un perro que **come** pizza? ¿Es posible?) Finalmente Lobo come pizza y está contento.

un pedazo
a piece

Luego, cuando Pepe prepara la tarea para la escuela, Lobo **comprende** que el muchacho necesita estudiar y espera con paciencia.

cuando *when*

Actividad ❶

Complete the sentences based on the story you have just read.

1. Pepe es un muchacho de _____ años.

2. Lobo es _____ de Pepe.

3. Lobo es _____.

4. Para ganar dinero, Pepe _____.

5. Lobo espera a Pepe _____.

6. Cuando Pepe llega, Lobo quiere _____.

7. A las seis Pepe y Lobo _____ en la casa.

8. Lobo tiene _____, y quiere _____.

9. Pepe saca una _____ de _____.

10. Después de comer _____, el perro está _____.

CONVERSACIÓN

Vocabulario

bonito *pretty*   **valen** *(they) are worth*
la cosa *thing*   **medio** *half*
el perrito *puppy*   **cada** *each*

DIÁLOGO

Complete the dialogue.

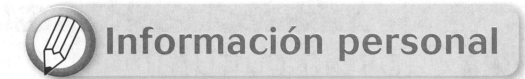

Información personal

Interview your partner. Take turns asking and answering the following questions.

1. ¿Qué deportes practicas?

   _____

2. ¿Qué bebes en el desayuno?

   _____

3. ¿Qué lees en tu tiempo libre?

   _____

4. ¿Qué comes en la cafetería de la escuela?

   _____

5. ¿Qué juegos quieres jugar en la computadora?

   _____

6. ¿Qué quieres hacer después de la escuela?

   _____

1. When and where do you do what? State what you do at different times and where you do it. Be as detailed as you can, for example: **A la una como en la cafetería y hablo con mis amigos.**

2. A key pal from the Dominican Republic wants to find out a few things about your personality. Write five sentences about yourself using some of the verbs below (or others). Write each sentence in a way that tells her something about you.

EXAMPLE: **Leo muchos libros.**

   aprender, correr, responder, trabajar, escuchar, ver

Cápsula cultural

¡A comer tapas!

¿Tienes hambre? Son las seis de la tarde y todavía no es la hora de cenar. En España, no se come la cena hasta las nueve de la noche. ¿Qué se puede hacer? Para matar el hambre entre el almuerzo y la cena, se puede comer **una merienda**. La gente de Madrid, por ejemplo, va a un tipo de cafetería, llamadas **tascas** para comer **tapas**. Las tapas son porciones pequeñas de comida servida en platos pequeños; por ejemplo, trocitos de queso, carne, camarones, aceitunas, chorizo o tortilla española (como un «omelette» con papas).

En inglés, **tapas** significa «lid» o «cover». El nombre viene de una tradición antigua en España. En los hostales o bares, cuando uno pide algo para tomar, era costumbre tapar el vaso con un trozo de pan para evitar las moscas.

Hoy día, los clientes escogen la comida preferida y piden una porción pequeña. Algunas tapas típicas son:

- **las gambas a la plancha**   *large grilled shrimp*
- **las aceitunas rellenas**   *stuffed olives*
- **los chorizos calientes**   *fried sausages*
- **los calamares en su tinta**   *stewed squid (in its own ink)*
- **la tortilla de patatas (papas)**   *potato omelette*

tienes hambre *are you hungry?*
cenar *to have supper*
¿qué se puede hacer? *what can one do?*
  matar el hambre *to kill one's hunger*
merienda *snack*
trocito *little piece*
  camarones *shrimp (plural)*
  aceituna *olive*
patata (papa) *potatoes*

viene de *comes from*
pide *asks for*
  para tomar *to drink*
  tapar *to cover*
para evitar *to avoid*

escoger *to choose*
  preferido(a) *preferred*

Comprensión

1. En España, la cena se come después de _____.

2. La merienda es _____.

3. En el pasado, era costumbre cubrir un vaso de vino con _____.

4. Una ración es _____.

5. Los chorizos son _____.

Investigación

Find out more about Spanish and Spanish-American cooking. What are some specialties, such as **arroz con pollo, paella,** etc.? Find a recipe and try it out for your family. Tell your class about the dish you made at home.

VOCABULARIO

aprender *to learn*	**creer** *to believe*	**vender** *to sell*
beber *to drink*	**leer** *to read*	**ver** *to see*
comer *to eat*	**querer** *to want*	**bonito(a)** *beautiful, pretty*
comprender *to understand*	**responder** *to answer*	**cada** *each*
correr *to run*	**saber** *to know*	**medio(a)** *half*

8

La descripción

1 Vocabulario

Can you figure out the color of each object?

El tomate es rojo.

La banana es amarilla.

El gato es negro.

La leche es blanca.

El chocolate es marrón.

La naranja es anaranjada.

El elefante es gris.

La planta es verde.

La bandera es roja, blanca y azul.

Actividad A

Change the words in bold type to make the sentences true.

1. El tomate es **amarillo.**

   _____

2. La banana es **roja.**

   _____

3. La leche es **anaranjada.**

   _____

4. La planta es **blanca.**

   _____

5. La aspirina es **roja.**

   _____

6. La naranja es **azul.**

   _____

7. El café con leche es **negro.**

   _____

8. El limón es **marrón.**

   _____

2 Colors are adjectives. Adjectives describe people and things. Have you been observant? How do you say in Spanish "The tomato is red"? _____ What gender is **el tomate**? _____Which letter does the Spanish masculine form of *red* end in? _____

Adjectives that end in **-o** when describing a masculine noun end in **-a** when describing a feminine noun.

El automóvil es blanco.   *The car is white.*
La pluma es blanca.   *The pen is white.*

What happens when the adjective doesn't end in **-o**? Let's look again at the examples:

El limón es *verde.*   **La hoja es** *verde.*
El cielo es *azul.*   **La bandera es roja, blanca y** *azul.*

What do you notice about the adjectives *verde* and *azul*?_____

 When an adjective in the masculine ends in any letter other than **-o**, the feminine form is the same.

NOTE: There is one important exception. Most adjectives of nationality, whatever their masculine form, have feminine forms ending in **-a:**

español	**española**	*Spanish*
francés	**francesa**	*French*
alemán	**alemana**	*German*

Examples:

Juan es *español.*   **Juana es** *española.*
Pierre es *francés.*   **Monique es** *francesa.*

¿De qué color? What color are some of the things you own?

1. Mi bicicleta es_____.

2. Mi libro de español es_____.

3. Mi teléfono celular es_____.

4. Mi casa es_____.

5. Mi lápiz es_____.

Colors are not the only adjectives that describe things. Here are a few more.

bonito

feo

grande

pequeño

inteligente

tonto

rico

pobre

moreno

rubio

gordo

flaco

fuerte

débil

alto

bajo

largo

corto

fácil

difícil

viejo

joven

viejo

nuevo

Here's a list of Spanish adjectives that are similar to English adjectives. Write a sentence for each one.

EXAMPLE: argentino(a)   **El hombre argentino habla español.**

1. mexicano(a) _____

2. atractivo(a) _____

3. delicioso(a) _____

4. diferente _____

5. elegante _____

6. excelente _____

7. famoso(a) _____

8. horrible _____

9. inmenso(a) _____

10. importante _____

Actividad D

You are making some observations about people and things. Complete the sentence with the correct form of the adjective.

1. Jorge es rico; Carmen también es _____.

2. Mi hermano es alto; mi hermana también es _____.

3. La casa es bonita; el jardín también es _____.

4. El español es fácil; la biología también es _____.

5. El taxi es amarillo; la banana también es _____.

6. La hamburguesa es deliciosa; el sándwich también es _____.

7. El presidente es importante; la secretaria también es _____.

8. La novela es magnífica; el programa también es _____.

9. Juan es moreno; Lola también es _____.

10. El tigre es fuerte; la pantera también es _____.

Actividad E

You are asked to give your opinion about some people and things. Complete the sentence with the correct Spanish form of the adjective in parentheses.

1. (*big*) El restaurante es _____.

2. (*important*) El español es una lengua _____.

3. (*difficult*) La pregunta no es _____.

4. (*immense*) El parque es _____.

5. (*elegant*) La profesora es _____.

6. (*small*) Mi madre es _____.

7. (*Spanish*) La bandera es _____.

8. (*strong*) El tigre es _____.

9. (*fat*) Mi gato es _____.

10. (*weak*) Mi hermano es muy _____.

4 You already know that adjectives agree in gender with the nouns they describe. Now look at these sentences:

I	II
El tomate es rojo.	Los tomates son rojos.
La banana es amarilla.	Las bananas son amarillas.

How many things are we describing in Group I? _____ How many things are we describing in Group II? _____ Which letter did we add to the adjective to express that we are describing more than one? _____

Complete these sentences:

La hoja es verde.　　　　　Las hojas son _____.
Mi hermano es moreno.　　Mis hermanos son _____.

Now look at these examples:

La bicicleta es azul.　　　　**Las bicicletas son azul*es*.**
El muchacho es popular.　　**Los muchachos son popular*es*.**

Which letters did we add to the adjectives to express that we are describing more than one? _____

Complete these sentences:

El profesor es español.　　Los profesores son _____.
La lección es fácil.　　　　Las lecciones son _____.

 Adjectives in Spanish agree in GENDER (masculine or feminine) and NUMBER (singular or plural) with the person or thing they describe. If the adjective ends in a vowel, add **s** in the plural. If the adjective ends in a consonant, add **es** in the plural.

5 One more point. Where are adjectives placed in Spanish? Usually AFTER the noun:

Tengo un lápiz *negro*.　　　　*I have a black pencil.*
Preparo una lección *difícil*.　　*I'm preparing a difficult lesson.*
Los perros *grandes* comen mucho.　　*Large dogs eat a lot.*

Describe each noun with a Spanish adjective.

1. el gato _____　　　**3.** el jardín _____

2. el presidente _____　　**4.** la leche _____

Actividad **F**

Now answer each question and add an adjective in the correct form to match the noun.

EXAMPLE:　　tus perros (inteligente)　　　**Son perros inteligentes.**

1. ¿Cómo es el presidente?   (*importante*)   Es un presidente _____.

2. ¿Cómo son tus clases?   (*interesante*)   Son clases _____.

3. ¿Cómo es tu equipo?   (*magnífico*)   Es un equipo _____.

4. ¿Cómo son los carros?   (*moderno*)   Son carros _____.

5. ¿Cómo son las tareas?   (*necesario*)   Son tareas _____.

6. ¿Cómo es tu padre?   (*elegante*)   Es un padre _____.

7. ¿Cómo es tu gato?   (*gordo*)   Es un gato _____.

8. ¿Cómo son tus profesores?   (*popular*)   Son profesores _____.

9. ¿Cómo son tus amigos?   (*sociable*)   Son amigos _____.

10. ¿Cómo son los estudiantes?   (*estudioso*)   Son estudiantes _____.

Actividad G

Write the correct sentence under each picture.

La señora rica toma un taxi.
Usted tiene dos gatos gordos.
José es bajo y María es alta.
Mis hermanos son jóvenes.
El joven lleva una gorra negra.

La pregunta es difícil.
Como un sándwich delicioso.
Mis abuelos son viejos.
La mochila es inmensa.
El jardín tiene rosas blancas.

1. _____

2. _____

3. _____

4. _____

5. _____

6. _____

7. _____

8. _____

9. _____

10. _____

Actividad H

Match the adjectives in the right column with the nouns on the left. Write the matching letter in the space provided.

1. los gatos _____
2. la calle _____
3. las plantas _____
4. el restaurante _____
5. el café _____
6. los hoteles _____
7. el monstruo _____
8. la lección _____
9. los periódicos _____
10. la leche _____

a. feo
b. blanca
c. flacos
d. populares
e. pequeño
f. modernos
g. negro
h. difícil
i. tropicales
j. famosa

Actividad I

Underline the adjective that correctly describes the subject.

1. La avenida es (grande, grandes).
2. Mi hermana María es (bonito, bonita, bonitos, bonitas).
3. Los hombres son (rico, rica, ricos, ricas).
4. Las lecciones son (difícil, difíciles).
5. Los árboles son (verde, verdes).
6. El gato es un animal (pequeño, pequeña, pequeños, pequeñas).
7. El señor López es un profesor (inteligente, inteligentes).
8. Yo bebo café (italiano, italiana, italianos, italianas).
9. Tengo una pluma (rojo, roja, rojos, rojas).
10. Estudio en una escuela (moderno, moderna, modernos, modernas).

Pronunciación

Letter	Pronunciation	English example of sound	Spanish examples
qu (before e, i)	k	Albu<u>qu</u>erque	que, queso quinoto

Enrique quiere una quesadilla.

Quique quiere quinotos.

Here's a story with lots of adjectives:

El Bosque de Chapultepec

La Ciudad de México es la ciudad más **grande** del mundo hispanohablante. En la ciudad hay muchas cosas **interesantes:** hoteles **modernos,** teatros **importantes,** restaurantes **excelentes** y parques **bonitos.**

la ciudad más grande *the biggest city*
el mundo *the world*

Un parque **famoso** es el Bosque de Chapultepec. Es el parque más **grande** y más **visitado** de la ciudad. Dentro del parque **enorme** hay ocho museos, tres lagos, un zoo, un parque de atracciones, una sala para conciertos, una residencia para el presidente, un castillo y un jardín **botánico.** El jardín es un festival de colores. Hay flores **rojas, blancas, amarillas** y **rosadas** y plantas **verdes** de todas clases.

dentro *within*
atracciones *amusement*
sala *hall*

En una ciudad con mucho ruido, mucho tráfico y mucha contaminación del aire a causa de tantos automóviles, el parque es un oasis de aire **puro** y de paz.

ruido *noise*
a causa de *because of*
la paz *peace*

Actividad J

Complete the sentences based on the previous text.

1. La Ciudad de México es la ciudad _____ del mundo.

2. En la capital hay hoteles _____ y restaurantes
   _____.

3. Un parque famoso de la ciudad es el _____.

4. Dentro del parque hay _____ museos, _____
   lagos, una sala para _____, una residencia para el
   _____ y _____ castillo.

5. En el _____ hay muchos animales exóticos.

6. En un jardín botánico hay muchas _____ y _____.

7. Rojo, blanco, amarillo, verde y rosado son _____.

8. En una ciudad grande hay mucho _____ y _____.

9. Los autómoviles causan _____.

10. Los parques con plantas y árboles son importantes para tener aire
    _____.

Actividad K

Work with a partner who plays the role of an exchange student. He/she asks you the following questions about your city and your school. Answer in a complete sentence.

1. ¿Tu ciudad es grande o pequeña?

   _____

2. ¿Las clases de la escuela son fáciles o difíciles?

   _____

3. ¿Son los automóviles modernos o antiguos en tu ciudad?

_____

4. ¿Son los edificios altos o bajos en tu ciudad?

_____

5. ¿De qué color son las computadoras en la escuela?

_____

6. ¿Cómo son las hamburguesas de la cafetería?

_____

7. ¿De qué color son los taxis en tu ciudad?

_____

8. ¿De qué color es la bandera de los Estados Unidos?

_____

9. ¿Cómo son los atletas en tu escuela?

_____

10. ¿Hay estudiantes españoles o alemanes en tu escuela?

_____

Para conversar en clase

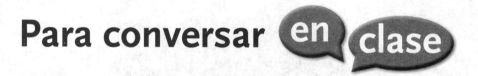

¿Quién es? Describe a famous person without saying his/her name. Use as many adjectives as possible. The one who discovers the mystery person has the next turn.

Vocabulario

Disculpe usted. *Excuse me.*
cerca de *near*
lejos de *far from*

Muchísimas gracias. *Thank you very much.*
el joven *young man*
Para servirle. *At your service.*

DIÁLOGO

Complete the conversation with expressions you have learned so far.

Información personal

Using an adjective, describe the following in a complete sentence.

EXAMPLE: type of food you like
            Los tacos son deliciosos.

1. a class that you enjoy

2. means of transportation you use to get to school

3. a pet that you have or you would like to have

4. a person that you admire

5. a place you like to go to

6. a famous landmark in your city

¡Practícalo!

1. You want to join a school club and are asked to give a brief description of yourself. Using some of the adjectives you have learned, write five sentences about yourself.

2. Review lessons 5-8 and make a list of what you think was difficult for you. Formulate your own rules and possible solutions to your problems. Share your report with your teacher or classmates.

3. Using cardboard, paste pictures of two people (neighbors, family members, famous actor/singer) or two animals or things and write a description as accurate as you can. You may also combine one person/one animal, if you wish.

4. Without looking at the book, make four groups of words according to the following topics: numbers, time, activities, and description. For the numbers, you may just pick two telephone numbers you know and write them out in Spanish, digit by digit. Use any technique you wish to test yourself on telling the time, but you may combine activities, description, and time. Here is an example: **El atleta alto corre en el parque a las cinco y media.** (*The tall athlete runs in the park at five thirty.*)

 # Cápsula cultural

Las actividades extracurriculares

¿**C**uál es tu materia favorita en la escuela? (¡menos el almuerzo!) En el mundo hispanohablante, las materias principales son: **matemáticas, ciencias sociales, ciencias naturales,** y **español.** También las escuelas públicas ofrecen actividades extracurriculares como **artes, teatro, música, deportes,** y lenguas extranjeras – como el inglés. Como en los Estados Unidos, hay que pagar por estas clases y suelen tomar lugar en un **club deportivo** o **instituto de arte** fuera de la escuela.

materia *subject*

lenguas extranjeras *world languages*
tomar lugar *take place*

En cuanto a los deportes, sin lugar a dudas el deporte más popular es el **fútbol. El baloncesto** o **basquetbol** también es popular. Algunos deportes como el **hockey sobre césped** (*field hockey*) para las muchachas y **rugby** para los muchachos se juegan durante los fines de semana en clubes particulares.

en cuanto a *as far as*

durante *during*

Estudiar otro idioma es una actividad muy importante en **España, México, Sudamérica** y **Centroamérica.** Hablar otro idioma, especialmente el inglés, es una habilidad importante en el mercado global. Aunque el inglés se enseña en casi todas las escuelas de Hispanoamérica, los estudiantes más dedicados suelen tomar clases privadas en una **academia de inglés** para mejorar su inglés.

habilidad *skill*
mercado *market*

dedicado *committed*
mejorar *enhance*

Comprensión

1. En el mundo hispanohablante, las materias principales incluyen: _____.

2. Si un estudiante quiere practicar un deporte fuera de la escuela, puede ir a un _____.

3. Las escuelas públicas ofrecen actividades como _____.

4. El deporte más popular en el mundo hispano es _____.

5. En Hispanoamérica, los estudiantes dedicados estudian el inglés en una _____.

Investigación

Why do you think it is useful to learn a second language? Look at the help-wanted ads in your local newspaper and circle all of the ads that require (or would like) that candidates speak more than one language. Share your ads with the class and discuss the following question: What are some of the advantages to being multilingual?

VOCABULARIO

bajo short
bonito(a) beautiful, pretty
corto(a) short
difícil difficult
tonto(a) silly, fool
fácil easy
feo(a) ugly
flaco(a) skinny, slim
fuerte strong
inteligente intelligent
gordo(a) fat

grande big
joven young
largo(a) long
moreno(a) brunette
nuevo(a) new
pequeño(a) small
pobre poor
rico(a) rich
rubio(a) blonde
viejo(a) old

amarillo(a) yellow
anaranjado(a) orange
azul blue
blanco(a) white
gris gray
marrón brown
negro(a) black
rojo(a) red
verde green

Disculpe. Excuse me.
Muchísimas gracias. Thank you very much.
Para servirle. At your service.

allí there
cerca de near
la ciudad city
lejos de far from
la paz peace

Repaso II

Lección 5

0	**cero**					
1	**uno**	11	**once**	21	**veintiuno**
2	**dos**	12	**doce**	22	**veintidós**
3	**tres**	13	**trece**	23	**veintitrés**
4	**cuatro**	14	**catorce**	24	**veinticuatro**
5	**cinco**	15	**quince**	25	**veinticinco**
6	**seis**	16	**dieciséis**	26	**veintiséis**
7	**siete**	17	**diecisiete**	27	**veintisiete**
8	**ocho**	18	**dieciocho**	28	**veintiocho**
9	**nueve**	19	**diecinueve**	29	**veintinueve**
10	**diez**	20	**veinte**	30	**treinta**

$+$ *y* $\div$ *divido por*

$-$ *menos* $=$ *es, son*

$\times$ *por*

Lección 6

a. Time is expressed as follows:

¿Qué hora es?	What time is it?
Es la una.	It's one o'clock.
Son las dos.	It's two o'clock.
Son las dos y diez.	It's 2:10.
Son las dos y cuarto.	It's 2:15.
Son las dos y media.	It's 2:30.
Son las tres menos veinte.	It's 2:40.
Es mediodía.	It's 12 noon.
Es medianoche.	It's 12 midnight.
Son las seis de la mañana.	It's 6 A.M.
Son las cuatro de la tarde.	It's 4 P.M.
Son las ocho de la noche.	It's 8 P.M.

b. To express "at" a specific time, use **a**:

—**¿A qué hora preparas las tareas? —A las ocho de la noche.**

Lección 7

a. To conjugate an **-er** verb, drop **-er** from the infinitive (the form of the verb before conjugation) and add the appropriate endings:

EXAMPLE: **comprender**

If the subject is	yo	add **o**	to the remaining stem:	**comprendo**
	tú	es		comprendes
	usted	e		comprende
	él	e		comprende
	ella	e		comprende
	nosotros	emos		comprendemos
	nosotras	emos		comprendemos
	ustedes	en		comprenden
	ellos	en		comprenden
	ellas	en		comprenden

irregular **-er** verbs

querer *to want*		**saber** *to know*		**ver** *to see*	
yo	quiero	yo	sé	yo	veo
tú	quieres	tú	sabes	tú	ves
él, ella, Ud.	quiere	él, ella, Ud.	sabe	él, ella, Ud.	ve
nosotros(as)	queremos	nosotros(as)	sabemos	nosotros(as)	vemos
ellos(as), Uds.	quieren	ellos(as), Uds.	saben	ellos(as), Uds.	ven

b. The preposition **a** is placed before the direct object if the direct object is a person or a pet. This **a** is called the "personal **a**":

Yo veo *a* **mi amigo.**
Pedro visita *a* **la muchacha.**
Carmen ama *a* **su gato.**

The combination **a** + **el** forms the contraction **al**:

Escuchamos *al* **profesor.**

Lección 8

a. Adjectives agree in GENDER and NUMBER with the nouns they describe. If the noun is feminine, the adjective is feminine. If the noun is masculine, the adjective is masculine. If the noun is plural, the adjective is plural:

El libr*o* es famos*o*.   **Los libr*os* son famos*os*.**
La escuel*a* es modern*a*.   **Las escuel*as* son modern*as*.**

b. Adjectives that do not end in **-o** have the same form in the masculine and feminine, except most adjectives of nationality, which have feminine forms in **-a**:

El actor es inteligent*e*.   **La actriz es inteligent*e*.**
El actor es español.   **La actriz es español*a*.**

c. If an adjective ends in a consonant, add **es** in the plural:

El videojuego es popular.   **Los videojuegos son popular*es*.**
La pregunta es difícil.   **Las preguntas son difíciles.**

d. Spanish adjectives usually follow the noun:

El presidente norteamericano está en la Casa Blanca.

Here are ten pictures of people doing things. Complete the description below each picture by using the correct form of one of the verbs.

aprender	comer	correr	responder	vender
beber	comprender	leer	saber	ver

1. María _____ una soda.

2. El muchacho no _____ alemán.

3. Yo _____ un sándwich delicioso.

4. José y yo _____ en el parque.

5. Nosotros _____ un periódico.

6. Ricardo _____ matemáticas en la escuela.

7. El hombre _____ gorras de béisbol.

8. Marta _____ bien en clase.

9. Los niños _____ el avión en el cielo.

10. El policía _____ la dirección del cine.

Actividad B

Buscapalabras. Hidden in the puzzle are 10 adjectives, 4 verbs, 4 nouns, and 2 numbers. Circle them and list them below. The words may be read from left to right, right to left, up or down, or diagonally.

```
A M U N D O D R O G
Z M L A G O N U B T
U D A F D R I C O R
L E E R V E R C N E
P G R E I H A D I I
F G B B C L M O T N
Á N O A F P L S O T
C P P S R S C O S A
I A P R E N D E R X
L Z V E R D E F A L
```

10 adjectives (3 are colors)   4 verbs   4 nouns   2 numbers

_____ _____   _____   _____   _____

_____ _____   _____   _____   _____

_____ _____   _____   _____

_____ _____   _____

_____ _____

Crucigrama

HORIZONTAL

1. supermarket
6. to drink
7. money
8. city
10. (you) pass
11. rich
15. one
16. young
17. tall

VERTICAL

1. to know
2. meal, food
3. where?
4. to read
5. to sing
8. four
9. two
12. five
13. they see
14. red (*fem.*)

Actividad D

Would you like to tell your future? Follow these simple rules to see what the cards have in store for you. Choose a number from two to eight. Starting in the upper left corner and moving from left to right, write down all the letters that appear under that number.

tres F	cuatro B	ocho M	siete B	cinco F	seis A	siete U	seis M
cuatro U	seis O	ocho U	dos D	seis R	ocho C	tres E	cinco A
dos Ó	siete E	ocho H	dos L	siete N	tres L	cuatro E	siete O
cuatro N	siete S	cinco M	cuatro A	siete A	ocho O	cinco I	seis E
cinco L	tres I	cinco I	dos A	cinco A	cinco G	tres C	cuatro S
dos R	ocho D	seis T	tres I	cuatro A	siete M	seis E	cuatro L
siete I	ocho I	cuatro U	dos E	siete G	seis R	ocho N	tres D
ocho E	cinco R	siete O	cinco A	ocho R	cuatro D	tres A	dos S
cinco N	seis N	siete S	tres D	seis O	cinco D	ocho O	cinco E

Actividad E

All the following people are saying some numbers. What are they? Write out the numbers in words.

1. _____

2. _____

3. _____

4. _____

5. _____

6. _____

Actividad F

Give the times in Spanish.

1. _____

2. _____

3. _____

4. _____

5. _____

6. _____

7. _____

8. _____

Actividad G

Acróstico. This puzzle contains eight useful expressions. Fill in the Spanish equivalents, then read down the boxed column to find out to whom you would say them.

1. ___ ___ ___ ___ ___ ___ ___ ___ ___

2. ___ ___ ___ ___ ___ ___

3. ___ ___ ___ ___ ___ ___ ___ ___ ___ ___

4. ¿___ ___ ___ ___ ___ ___ ___ ___ ___?

5. ___ ___ ___ ___ ___ ___

6. ___ ___ ___ ___

7. ¿___ ___ ___ ___ ___ ___?

8. ___ ___ ___ ___ ___ ___ ___ ___ ___

1. Good morning.   5. Thanks.

2. You're welcome.   6. Goodbye.

3. See you tomorrow.   7. How are you?

4. What's your name?   8. At your service.

Picture Story. Can you read this story? Much of it is in picture form. When you come to a picture, read it as if it were a Spanish word.

En hay muchas   grandes. En las

ciudades hay muchas cosas interesantes: modernos,

  excelentes,   importantes y

  bonitos. En los parques hay y

bonitas. Para ir a las partes diferentes de la , la

usan varios medios de transporte. María usa el , Juan el .

Francisco toma un . Roberto tiene un pequeño que no usa mucha

 . Pepito es un de años. Él no tiene mucho .

Tiene una para ir a la 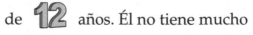 .

Tercera Parte

9

"Ser o no ser"

Professions and Trades; the Verb **ser**

1 Vocabulario

el profesor

la profesora

el médico

la médica

el dentista

la dentista

el secretario

la secretaria

el artista

la artista

el actor

la actriz

el camarero

la camarera

el enfermero

la enfermera

el abogado

la abogada

el policía

la policía

el cartero

la cartera

el bombero

la bombera

Actividad A

¿Quién es? (*Who is it?*) The people in José's family have different professions. Fill in the first blank with a family member and the second with the correct profession.

el dentista	**la médica**	**la abogada**	**el bombero**
el policía	**el secretario**	**la enfermera**	**el cartero**
la actriz	**la profesora**		

1. La <u>madre</u> de José es <u>médica</u>.

2. El _____ de José es _____.

3. La _____ de José es _____.

4. El _____ de José es _____.

5. La _____ de José es _____.

6. El _____ de José es _____.

7. El _____ de José es _____.

8. La _____ de José es _____.

9. El _____ de José es _____.

10. La _____ de José es _____.

Actividad B

With a partner. Take turns identifying the following professions. Student A chooses 5 professions and describes the scene to see if Student B can determine which profession is being described. Then, Student A switches with Student B describes the remaining 5 professions and Student A determines what they are.

EXAMPLE: Student A: **El hombre pinta.**   Student B: **¿Es el pintor?**
                  Student A: **Sí. ¡Correcto!**   (Both write: **el pintor** [on #8])

1. _____

2. _____

3. _____

4. _____

5. _____

6. _____

7. _____

8. _____

9. _____   10. _____

Para conversar

Now that you know the names of many different professions, choose five and tell something about each one.

EXAMPLE: **El médico trabaja en el hospital.**

2 One of the most important words in the Spanish language is the verb **ser** (*to be*). **Ser** is a special verb because no other verb is conjugated like it. For this reason, **ser** is called irregular. You must memorize all its forms.

yo	**soy**	*I am*
tú	**eres**	*you are* (familiar)
Ud.	**es**	*you are* (formal)
él	**es**	*he is*
ella		*she is*
nosotros	**somos**	*we are*
nosotras		
Uds.	**son**	*you are* (plural)
ellos	**son**	*they are*
ellas		

Here are some examples with the various forms of the verb **ser.**

Yo soy alto.

Tú eres bonita.

Ud. es profesor.

Él es inteligente.

Ella es doctora.

Nosotras somos mexicanas.

Uds. son secretarias.

Ellos son famosos.

Ellas son estudiantes.

Actividad 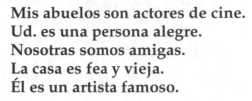 C

Here are some sentences in which a form of the verb **ser** is used. Can you match these sentences with the pictures they describe?

Lobo es un perro pequeño.
Los edificios son grandes.
Yo soy presidenta de la clase.
Ellos son inteligentes.
Carlos es alto y flaco.

Mis abuelos son actores de cine.
Ud. es una persona alegre.
Nosotras somos amigas.
La casa es fea y vieja.
Él es un artista famoso.

1. _____

2. _____

3. _____

4. _____

5. _____

6. _____

7. _____

8. _____

9. _____

10. _____

Actividad D

Choose five people and express their professions in complete sentences.

EXAMPLE: **Tom Cruise es actor.**

1. _____

2. _____

3. _____

4. _____

5. _____

Your friend has a pen pal in Peru who wants to know details about your family. Help your friend complete this email with the correct form of the verb **ser.**

Archivo Editar Ver Insertar Formato Opciones Herramientas Ayuda

Enviar | Ortografía | ▾ Adjuntar | ▾ Seguridad | ▾ Guardar | ▾

De:

Para:

Asunto:

Cuerpo del texto ⌄   Anchura variable

Querido Ramón:

Gracias por tu mensaje. Para contestar tus preguntas: Mi padre _____ abogado.

Mi padre _____ español y mi madre _____ norteamericana.

Yo _____ norteamericano. Mi hermano y yo _____ rubios. Mis

padres también _____ rubios. Nosotros no _____ altos. Yo

_____ flaco, pero mi hermano _____ gordo. Mis dos hemanas

_____ enfermeras; ellas _____ muy inteligentes.

¿Cómo _____ tú? ¿_____ o bajo, flaco o gordo? Tú

_____ mi amigo. ¡Hasta pronto!

After you visit your friend Gerardo, your mother asks about him and his family. Answer in complete sentences.

EXAMPLE: ¿Es Gerardo simpático o serio?
            Gerardo es simpático.

1. ¿Es la madre de Gerardo policía o dentista?

   _____

2. ¿Es el hermano de Gerardo sociable o tímido?

   _____

3. ¿Son los perros de la familia grandes o pequeños?

   _____

4. ¿Es la casa de Gerardo moderna o antigua?

   _____

5. ¿Son las hermanas de Gerardo altas o bajas?

   _____

6. ¿Es el padre de Gerardo norteamericano o mexicano?

   _____

Letter	Pronunciation	English example of sound	Spanish examples
b, v	always b	<u>b</u>ook	beso, vamos, vaca, bolero

Violeta baila el vals.

Read a conversation between Juan Alemán, a new boy in school, and Mr. López, the teacher of the class. Mr. López is in for a surprise.

Un alumno nuevo

EL PROFESOR LÓPEZ: **Ah,** un alumno nuevo. Buenos días, joven. ¿Cómo se llama?

JUAN: Me llamo Juan Alemán y **soy** de México.

EL PROFESOR LÓPEZ: Bienvenido. Yo **soy** el profesor López. ¿Hablas inglés, Juan?

JUAN: No mucho. En casa solamente hablamos español.

solamente *only*

EL PROFESOR LÓPEZ: ¿Tu familia está aquí también?

JUAN: No todos. Mis hermanos están en Veracruz.

EL PROFESOR LÓPEZ: ¿Dónde trabaja tu padre?

JUAN: Mi padre **es mecánico** y trabaja en una estación de servicio.

EL PROFESOR LÓPEZ: ¿Y tu mamá?

JUAN: Mi mamá **es enfermera** y trabaja en un hospital.

EL PROFESOR LÓPEZ: Muy bien, Juan. Los alumnos de la clase **son** muy buenos y simpáticos. Ellos saben que tú **eres** nuevo y que necesitas amigos.

bueno *good*
simpático *nice*

JUAN: ¿Amigos? (Yo) no necesito amigos. Todos mis primos de Veracruz están aquí en la clase.

Actividad **G**

These statements are based on the dialog you have just read. Read a statement to a classmate, who will say **Cierto** if it is true, or **Falso** if it is false. If the statement is false, your partner will correct the statement.

1. Juan Alemán es el profesor de la clase.

2. El señor López es el tío de Juan.

3. El profesor López habla español.

_____

4. Los primos de Juan están en Veracruz.

_____

5. Juan Alemán habla inglés en casa.

_____

6. La madre de Juan no trabaja.

_____

7. El padre de Juan trabaja en un hospital.

_____

8. Los alumnos de la clase son simpáticos.

_____

9. Juan necesita estudiar todos los días.

_____

10. Juan necesita amigos en la clase.

_____

Actividad **H**

With a partner, take turns asking and answering the following questions in complete sentences.

1. ¿Quién es Juan Alemán?

_____

2. ¿Qué idioma habla la familia de Juan?

_____

3. ¿Qué idiomas habla el profesor López?

_____

4. ¿Dónde trabaja el padre de Juan?

_____

5. ¿Dónde trabaja la madre de Juan?

_____

6. ¿Cómo son los alumnos de la clase?

_____

Vocabulario

Bienvenido(a). *Welcome.*
No importa. *It doesn't matter.*
sólo *only*

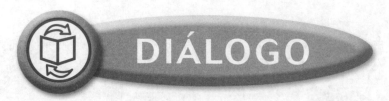

DIÁLOGO

Complete the dialog.

Información personal

Interview your partner. Take turns asking and answering the following questions.

1. ¿Cómo eres?

_____

2. ¿Qué quieres ser en el futuro?

_____

3. ¿Dónde trabaja un miembro de tu familia?

_____

4. ¿Cómo es tu persona o animalito favorito?

_____

5. ¿Qué haces todos los días?

_____

Work with a partner. **¿Quién soy yo?** Taking turns, act out a profession and your partner has to guess your profession: **"Tú eres policía."** You respond: **"Sí, soy policía,"** or **"No, no soy policía; soy cartero(a)."** depending on whether the guess was right or wrong.

1. Write about people you know—family members, friends, classmates, etc. Say what they do, where they work and so on.

2. List in Spanish five professions or occupations that interest you. Next to each, write a sentence that describes a person involved in that profession or says something about the profession.

EXAMPLE: profesor   **Un profesor trabaja en una escuela.**

Trabajo	Descripción
1. _____	_____
2. _____	_____
3. _____	_____
4. _____	_____
5. _____	_____

Cápsula cultural

Tránsito rápido al estilo inca

Antes de la llegada de los españoles, los incas establecieron el imperio más grande del Nuevo Mundo con más de 6.000.000 de personas. Su imperio se extendió desde el norte de Ecuador hasta el centro de Chile - una distancia de casi 5.000 millas.

establecieron *established*

el imperio *empire*

Los incas eran muy buenos ingenieros y arquitectos. Sin el uso de la rueda o animales fuertes como los caballos, construyeron edificios monumentales, puentes, acueductos, y carreteras.

la rueda *the wheel*

Pero el aspecto más increíble de la civilización inca fue su sistema de transporte. El imperio fue conectado por un sistema de carreteras que cubre más de 11.000 millas. Mensajes y artículos de venta viajaban muy rápidamente por todo el imperio. Por ejemplo, un mensaje viajaba más de 1.000 millas en días. Sin el uso de animales, ¿cómo era posible?

las carreteras *highways*

Corredores profesionales llamados «chasquis» formaban equipos para transportar los mensajes. Existían estaciones cada tres millas donde los chasquis pasaban los mensajes o artículos de uno al otro. También había un sistema para recordar los mensajes. Los chasquis llevaban «quipus» – una cuerda con nudos de diferentes colores. Cada nudo significaba una palabra o un número. Las cuerdas llevaban mensajes con todo tipo de información.

los corredores *runners*

la cuerda *string*
el nudo *knot*

Comprensión

1. El imperio inca se extendió una distancia de _____ millas.

2. Los inca eran muy buenos ingenieros y arquitectos y construyeron

   _____.

3. El imperio fue conectado por _____.

4. Los chasquis eran _____.

5. Cuerdas con nudos de diferentes colores se llamaban _____.

Investigación

What other accomplishments did the Incas achieve? What is Machu Picchu? What is its importance?

VOCABULARIO

el (la) abogado(a) *lawyer*
el actor *actor*
la actriz *actress*
el (la) artista *artist*
el bombero *fire fighter*
el/(la) camarero(a) *waiter/waitress*
el/(la) cartero(a) *mail carrier*

el/(la) dentista *dentist*
el/(la) enfermero(a) *nurse*
el (la) médico(a) *physician*
el (la) policía *police officer*
el (la) profesor(a) *teacher*
el (la) secretario(a) *secretary*

alegre *happy*
bueno(a) *good*
ser *to be*
si... *if. . .*
simpático(a) *nice*
solamente *only*

10

Más actividades

1 Vocabulario

This new group of verbs belongs to the **-ir** conjugation. See if you can guess their meaning.

abrir la puerta

cubrir los ojos

La pintura es muy bonita.

describir la pintura

dividir el pastel

escribir una composición

recibir una carta

subir al autobús   **vivir en una casa**

2 Do you recall what you did with **-ar** and **-er** verbs when you used them? You dropped the **-ar** or **-er** ending from the infinitive and added certain endings.

hablar *to speak*		**vender** *to sell*	
yo	habl*o*	yo	vend*o*
tú	habl*as*	tú	vend*es*
Ud.	habl*a*	Ud.	vend*e*
él ella	} habl*a*	él ella	} vend*e*
nosotros nosotras	} habl*amos*	nosotros nosotras	} vend*emos*
Uds.	habl*an*	Uds.	vend*en*
ellos ellas	} habl*an*	ellos ellas	} vend*en*

We do the same things with **-ir** verbs. Here is an example:

escribir *to write*

yo	escrib*o*	*I write, I am writing*
tú	escrib*es*	*you write, you are writing* (familiar)
Ud.	escrib*e*	*you write, you are writing* (formal)
él ella	} escrib*e*	*he writes, he is writing* *she writes, she is writing*
nosotros nosotras	} escrib*imos*	*we write, we are writing*
Uds.	escrib*en*	*you write, you are writing* (plural)
ellos ellas	} escrib*en*	*they write, they are writing*

3 If you compare the **-er** and the **-ir** verbs, almost all the endings are the same. The only exception is the **nosotros** form. In the **nosotros** form, the **-er** ending is **-emos** but the **-ir** ending is **-imos.**

Let's do another one. Add the proper endings.

abrir *to open*

yo	abr _____
tú	abr _____
Ud.	abr _____
él ⎫	
ella ⎬	abr _____
nosotros ⎫	
nosotras ⎬	abr _____
Uds.	abr _____
ellos ⎫	
ellas ⎬	abr _____

Actividad **A**

Match the question on the left with the best response on the right. Write the matching letter in the space provided.

1. ¿Cómo vas a la escuela? _____   **a.** Ellos escriben una composición.

2. ¿Dónde vive Juan? _____   **b.** Él divide la fruta.

3. ¿Cómo describen la fotografía? _____   **c.** Yo subo al autobús.

4. ¿Qué escriben los muchachos? _____   **d.** El profesor abre la ventana.

5. ¿Qué hace con la fruta? _____   **e.** El estudiante escribe una carta.

6. ¿Quién abre la ventana? _____   **f.** Juan no vive aquí.

7. ¿Qué reciben las muchachas? _____   **g.** Cubrimos las sillas.

8. ¿Qué cubren ustedes? _____   **h.** La foto es muy interesante.

9. ¿Qué escribe el estudiante? _____   **i.** Nosotros cubrimos el automóvil.

10. ¿Qué cubrimos nosotros? _____   **j.** Ellas reciben flores.

Actividad B

Match the sentences with the pictures they describe.

Yo recibo una invitación.
Tú cubres tu automóvil.
El señor González abre la tienda.

Usted vive en un apartamento.
Los gatos suben al árbol.
Nosotros dividimos diez por dos.

1. _____

2. _____

3. _____

4. _____

5. _____

6. _____

4   Here is one more important **-ir** verb: **salir** (*to leave, to go out*). **Salir** is different because it has an irregular **yo** form: **salgo.** All the other forms are regular.

yo salgo

But

tú sales
Ud., él, ella sale
nosotros(as) salimos
Uds., ellos, ellas salen

Complete the following sentences with the correct form of **salir.**

1. Nosotros _____ a las ocho.

2. ¿ _____ Ud. mañana para Madrid?

3. Yo _____ de la oficina.

The verb **salir** is followed by **de** if you mention the place you are "going out of."

Yo salgo ahora.   *I'm leaving (going out) now.*
  But
Yo salgo de la casa ahora.   *I'm leaving the house now.*

NOTE: If **de** comes directly before the article **el,** the two words combine to form the word **del,** that is, **de + el = del.**

Salimos *del* **trabajo a las cinco.**   *We leave work at five.*

Actividad C

Complete the Spanish sentences with the correct forms of **salir** and **de**, if needed. If **del** is needed, cross out **el**. If **del** is needed, cross out **el**.

EXAMPLE: Ellos *salen del* ~~el~~ cine a las ocho de la noche.

1. Los alumnos _____ la escuela a las tres.

2. Yo _____ mi casa a las ocho de la mañana.

3. Ustedes no _____ el cine a las seis.

4. Mi madre _____ al jardín todos los días.

5. Nosotros _____ el teatro.

6. ¿ _____ tú con Roberto?

7. Rodrigo _____ el trabajo muy tarde.

8. Ella _____ el club de teatro después de la cinco.

9. Ellas _____ conmigo todos los miércoles.

10. ¿Tú _____ con tu hermana los sábados?

5 There is one **-ar** verb and three **-er** verbs which, like **salir**, have an irregular **yo** form.

dar (*to give*)	**yo doy**	*I give*
poner (*to put*)	**yo pongo**	*I put*
saber (*to know*)	**yo sé**	*I know*
traer (*to bring*)	**yo traigo**	*I bring*

6 Now we are ready to compare all three kinds of verbs: **-ar, -er,** and **-ir:**

	pas*ar*	**beb*er***	**viv*ir***
yo	**pas*o***	**beb*o***	**viv*o***
tú	**pas*as***	**beb*es***	**viv*es***
Ud.	**pas*a***	**beb*e***	**viv*e***
él / **ella**	**pas*a***	**beb*e***	**viv*e***
nosotros / **nosotras**	**pas*amos***	**beb*emos***	**viv*imos***
Uds.	**pas*an***	**beb*en***	**viv*en***
ellos / **ellas**	**pas*an***	**beb*en***	**viv*en***

For each picture, choose the sentence that best describes it.

1. **a.** Yo escribo en la pizarra.
   b. Yo veo la pizarra.
   c. Yo pregunto en la clase.

2. **a.** Ellos compran libros.
   b. Ellos corren a la tienda.
   c. Ellos compran comida.

3. **a.** Nosotros vendemos la clase.
   b. Nosotros cantamos en la clase.
   c. Nosotros respondemos en la clase.

4. **a.** Él sale ahora.
   b. Él llega ahora.
   c. Él canta ahora.

5. **a.** Ella busca la fiesta.
   b. Ella baila en la fiesta.
   c. Ella sale de la fiesta.

6. **a.** Usted come mucho.
   b. Usted bebe mucho.
   c. Usted trae un regalo a la fiesta.

7. a. Carlos y María cubren la ventana.
   b. Carlos y María viven en la calle.
   c. Carlos y María entran por la puerta.

8. a. Rosita escucha música.
   b. Rosita abre la ventana.
   c. Rosita busca la ventana.

9. a. Yo camino por la calle.
   b. Yo paso por la calle.
   c. Yo trabajo en la calle.

10. a. Francisco sale con los muchachos.
   b. Francisco baila con la muchacha.
   c. Francisco mira a la muchacha.

Using the action indicated, construct a sentence and act out the activity. Have a partner try and guess your action.

EXAMPLE: bailar en la fiesta (Laura)
         Laura baila en la fiesta.

1. escribir una frase en la pizarra (el profesor)
2. buscar palabras en el diccionario (el estudiante)

3. leer un libro (el padre)
4. correr en el parque (el perro)
5. abrir la puerta (el monstruo)
6. dividir la pizza (Pablo)
7. comer una banana (el mono)
8. cantar ópera (la mujer)

Complete this description of a typical day written by Natalia, a teenager from San José, Costa Rica. Use the correct forms of the verbs in parenthesis.

Nosotros _____ (vivir) en una casa pequeña. Mi padre _____ (salir) de la casa a las siete de la mañana y _____ (tomar) el tren para ir al trabajo. Yo _____ (salir) a las ocho y _____ (caminar) a la escuela. Mi madre _____ (trabajar) en la cafetería del hospital y mis hermanos _____ (estudiar) en la universidad.

Ellos siempre _____ (traer) amigos interesantes a la casa.

Yo _____ (aprender) español en la escuela. En casa nosotros _____ (hablar) solamente inglés y yo no _____ (saber) mucho español. En la escuela, la profesora _____ (preguntar) y los alumnos _____ (responder). Todos los días, nosotros _____ (escribir) una composición. Yo _____ (poner) mi diccionario en mi escritorio y _____ (buscar) muchas palabras.

Now make complete Spanish sentences with the correct verb form and a closing element of your choice.

EXAMPLE: (salir) Yo   **Yo salgo de mi casa.**

1. (ver) Nosotros _____.

2. (buscar) Mi hermano _____.

3. (correr) Mi perro _____.

4. (dividir) Ustedes _____.

5. (subir) Tú _____.

6. (dar) Yo _____.

7. (invitar) Nosotros _____.

8. (abrir) Ellas _____.

9. (responder) Usted _____.

10. (vivir) Mis tíos _____.

Letter	Pronunciation	English examples of sound	Spanish examples
z	**ss** (Hispanic America) th (Spain)	si̱x, ba<u>s</u>ic <u>th</u>ink, <u>th</u>in	**zapato, manzana, lápiz**

Gonzalo López compra zapatos en Venezuela.

Here's a conversation containing **-ar**, **-er**, and **-ir** verbs. Pepe's friends are talking about his family. They are trying to find out what Pepe's parents do for a living. Would you know?

Mucha comida

MARÍA: La familia de Pepe **vive** muy bien. Yo **sé** que **ganan** mucho dinero.

ganar *to earn*

ROBERTO: Sí, ellos **viven** en una casa magnífica con un jardín muy grande. El perro de Pepe siempre **corre** por el jardín.

CARLOS: Y ellos **compran** un automóvil nuevo cada año.

ANA: Las dos hermanas de Pepe —Carmen y Rosa— **son** muy elegantes. Carmen **es** enfermera y **trabaja** en un hospital. Rosa **es** secretaria y también **estudia** en la universidad.

ANTONIO: Ellos siempre **reciben** muy bien a los amigos. Cuando yo **visito** a la familia, la madre de Pepe **cubre** la mesa con un mantel y **pregunta**: ¿Qué deseas **comer**, Antonio? Cuando yo **contesto**, ella **trae** la comida a la mesa. Ellos siempre **comen** y **beben** bien.

recibir a *to welcome*

la comida *food*

MARÍA: ¿Dónde **trabajan** los padres de Pepe? ¿Qué **crees?**

(**Entra** Pepe.)

ROBERTO: Pepe, ¿dónde **trabajan** tus padres?

PEPE: Mis padres **tienen** un supermercado. ¿Ahora **comprenden** Ustedes por qué siempre **tenemos** mucha comida en mi casa?

tienen *they have*

perfectamente *perfectly*

TODOS: Sí, **comprendemos** perfectamente.

Actividad G

Pick out the **-ar, -er,** and **-ir** verbs in the story and list them in the infinitive form.

-**AR** verbs	-**ER** verbs	-**IR** verbs
_____	_____	_____
_____	_____	_____
_____	_____	_____
_____	_____	
_____	_____	
_____	_____	
_____	_____	
_____	_____	
	_____	

Actividad H

Based on the previous story, complete the sentences with the correct expression chosen from the words provided.

1. María y Ana son _____ de Pepe.
   a. amigos   b. hermanas   c. tías   d. amigas

2. La familia de Pepe _____ una casa grande.
   a. compra   b. desea   c. vive en   d. vende

3. El automóvil de la familia es _____ .
   a. grande   b. magnífico   c. viejo   d. nuevo

4. Hay _____ hermanas en la familia.
   a. dos   b. tres   c. cuatro   d. cinco

5. La enfermera trabaja en _____ .
   a. el supermercado   b. la casa   c. el hospital   d. el cine

6. Carmen y Rosa son _____ .
   a. hermanas   b. tías   c. amigas   d. enfermeras

7. La secretaria también estudia en _____ .
   a. una tienda   b. una oficina   c. un teatro   d. una universidad

8. La familia de Pepe _____ bien a los amigos.
   a. invita   b. aprende   c. recibe   d. come

9. El dueño de un supermercado _____ muy bien.
   a. corre   b. vende   c. come   d. sale

10. En un supermercado no venden _____ .
    a. soda   b. televisores   c. frutas   d. leche

Work with a partner. Take turns saying and correcting the following statements.

EXAMPLE: Las farmacias venden *automóviles*.
            No, señor. Las farmacias venden *medicinas*.

1. Aprendemos la geografía en *el supermercado*.

2. Los estudiantes bilingües hablan *un idioma*.

3. Bebemos *tacos* en el restaurante mexicano.

4. Venden videojuegos en *el gimnasio*.

5. Los leones y tigres son *plantas tropicales*.

6. Los niños van a la escuela *por la noche*.

7. Las enfermeras trabajan en el *aeropuerto*.

8. La luna sale durante *el día*.

9. Las ciudades grandes tienen edificios *bajos*.

10. Los deportistas profesionales ganan *poco* dinero.

Vocabulario

la calle *street*   **para** *for*
su *your* (formal)   **nuestro(a)** *our*

You are the second person in the dialog. Write a suitable response to each question.

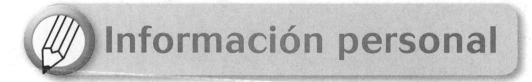

Interview your partner. Take turns asking and answering the following questions.

1. ¿Quién compra la comida en la casa?

2. ¿Dónde compran ustedes la comida?

3. ¿Qué cosas compran en una tienda o en un supermercado?

4. ¿Cuál es tu comida favorita?

5. ¿Dónde viven ustedes?

6. ¿Quién vive en tu casa?

7. ¿Qué idioma hablan en tu casa?

8. ¿Dónde trabajan tus padres?

9. ¿Cómo es tu mejor amigo?

10. ¿Adónde sales con tus amigos?

1. Write an e-mail in Spanish to an imaginary (or real) Spanish-speaking friend, telling him or her how much you have learned so far. Tell him or her what you can say in Spanish, and ask questions about things you do not understand very well yet. You may also share your letter with another student in the class or with your teacher to help you overcome your difficulties.

2. Describe yourself and your family by completing these sentences:

    1. Mi familia vive en _____ .

    2. La casa o apartamento es ____ _____ .

    3. Yo tengo (No tengo) un automóvil _____ .

    4. Tengo _____ hermanos (hermanas).

    5. Mi madre trabaja _____ .

6. Mi padre es _____ .

7. Yo soy _____ .

8. Somos una familia _____ .

9. En casa comemos _____ .

10. Mi clase favorita es _____ .

Cápsula cultural

Una mezcla musical

A muchos americanos nos gusta la música latina. ¿Pero qué es la música latina exactamente?

Cada país del mundo hispano tiene distintos estilos y tradiciones musicales. Hay mucha variedad a causa de la combinación de la música indígena con música que trajeron los españoles.

variedad *variety*
indígena *indigenous*

Por ejemplo, en las islas del caribe (Cuba, Puerto Rico, la República Dominicana) y en países con una costa caribeña (como Colombia, Venezuela, y algunos países de la América Central), hay una gran influencia musical africana. Aquí se encuentran ritmos como merengue, rumba, y salsa, entre otros. En estos ritmos se escuchan instrumentos como congas, bongos, y maracas. En Colombia y Venezuela, la cumbia y la punta reflejan la música de estas culturas.

ritmos *rhythms*

En México, la música está basada en instrumentos de cuerda como la guitarra, que también está presente en estilos tradicionales españoles como el flamenco. La guitarra se puede escuchar mucho en la música mariachi.

instrumentos de cuerda *stringed instruments*

En Argentina, el tango tiene una influencia musical italiana y francesa. Como pueden ver, no hay una «música latina» sola. Las tradiciones musicales de los países hispanohablantes son tan variadas como sus habitantes.

variadas *varied*
habitantes *inhabitants*

Comprensión

1. En las islas del Caribe y en países con una costa caribe, se escucha ritmos como, _____, y _____.

2. En Colombia y Venezuela, la _____ y la _____ reflejan la música de estas culturas.

3. Se usan instrumentos como _____, _____, y _____ en los ritmos merengue, rumba y salsa.

4. La guitarra española se encuentra en la música _____ y _____.

5. En Argentina, el tango tiene una influencia musical _____ y _____.

Investigación

Which Latin artists have become popular in the United States? Which countries do these artists come from? What style of music do they play/sing? Do you have any favorites? Share your answers with a partner.

VOCABULARIO

abrir *to open*	**recibir** *to receive*	**la comida** *food*
cubir *to cover*	**subir** *to go up*	**la tienda** *store*
describir *to describe*	**subir a** *to get on*	
dividir *to divide, to split*	**vivir (en)** *to live (in)*	
escribir *to write*		

¿Cómo está usted?

Expressions with **estar**; Uses of **ser** and **estar**

1 "To be or not to be?" We have already learned one verb that means *to be:* **ser**. Here's another one: **estar**.

Yo estoy en un restaurante.

Nosotros estamos en una fiesta.

Tú estás bien.

Ustedes están enfermos.

Él está sucio.　　　　**Ella está limpia.**　　　　**Ellos están sentados.**

Ella está triste.　　　　　　　**Usted está contento.**

How is **estar** conjugated? You can see that **estar** is an irregular verb:

yo	**estoy**	*I am*
tú	**estás**	*you are* (familiar)
Ud.	**está**	*you are* (formal)
él	**está**	*he is*
ella		*she is*
nosotros	**estamos**	*we are*
nosotras		
Uds.	**están**	*you are* (plural)
ellos	**están**	*they are*
ellas		

When do you use forms of **ser** and when do you use forms of **estar?** For example, if you want to say *I am,* do you say **yo soy** or **yo estoy**? If you want to say *she is,* do you say **ella es** or **ella está**? You can't just use whichever verb you feel like using. There are certain rules. The following examples show the uses of **estar.**

a.

Yo *estoy* en la escuela.	*I am at school.*
Madrid *está* en España.	*Madrid is in Spain.*
¿Dónde *está* Nueva York?	*Where is New York?*

What are we expressing in these sentences? We are telling or asking **where** someone or something is located.

b. Now look at the following sentences:

El agua *está* **fría.** *The water is cold.*
[It can be heated up, and then **El agua** *está* **caliente.**]

Tú *estás* **contento.** *You are happy.*
[Your mother tells you to do your homework, and then **Tú** *estás* **triste.**]

Ellos están enfermos. *They are sick.*
[They go to the doctor, and then **Ellos** *están* **bien.**]

Las ventanas *están* **abiertas.** *The windows are open.*
[It gets too cold, and then **Las ventanas** *están* **cerradas.**]

Here we are expressing a condition of persons or things that can quickly change.

There are two situations in which we use a form of **estar**:

> **a.** LOCATION (asking or telling where something or someone is):
>
> **Chicago y Nueva York** *están* **en los Estados Unidos.**
>
> **b.** TEMPORARY CONDITION (describing a physical or emotional condition that can change):
>
> | | |
> |---|---|
> | **Yo** *estoy* **bien (enfermo).** | *I am well (sick).* |
> | **La casa** *está* **sucia (limpia).** | *The house is dirty (clean).* |
> | **Usted** *está* **contento (triste).** | *You are happy (sad).* |

Now you know the situations in which you use **estar**.

NOTE: It may not always be easy to decide whether a condition is *temporary* or *permanent*. In Spanish, some conditions are usually regarded as permanent characteristics. Adjectives like **rico, pobre, gordo, flaco, joven,** and **viejo** are usually considered permanent characteristics. Therefore, we say in Spanish:

Yo *soy* rico.	La abuela *es* vieja.
Mi amigo *es* pobre.	Los perros *son* gordos.

Andrés is not feeling well and goes to the nurse's office. Two students act out this dialog taking the parts of Andrés and the nurse. Use the correct form of **estar**.

ENFERMERA: Buenas tardes. ¿Cómo _____ Andrés?

ANDRÉS: Yo no _____ bien. Creo que _____

enfermo.

ENFERMERA: Sí, tú _____ pálido (*pale*). ¿Dónde _____

tus padres ahora?

ANDRÉS: Mi madre _____ en la oficina y mi padre

_____ probablemente en su trabajo.

ENFERMERA: ¿Dónde _____ la oficina de tu padre?

ANDRÉS: _____ lejos de la escuela.

ENFERMERA: ¿Quién _____ en casa ahora?

ANDRÉS: Mis abuelos _____ en casa ahora.

Take turns reading the following sentences aloud according to the model. Use the appropriate forms of **ser** or **estar**.

EXAMPLE: Mi mamá (alta o baja)
         Mi mamá es baja.
         Los Angeles (en California o en Texas)
         Los Angeles está en California.

1. Yo (alto o bajo)
2. San Francisco (en California o en Florida)
3. Los elefantes (gordos o flacos)
4. Nueva York (grande o pequeña)
5. Mi familia (grande o pequeña)
6. Los estudiantes (alegres o tristes)
7. Mi cuidad (bonita o fea)
8. Los autos Ferrari (rápidos o lentos)
9. Los libros (en la biblioteca o en la farmacia)
10. Supermán (fuerte o débil)

There is one more use of the verb **estar**: If we want to emphasize that an action is going on right now — the subject is doing something at this very moment — we say:

Carlos está hablando por teléfono.	*Charles is talking on the phone.*
María está escribiendo una carta.	*María is writing a letter.*
Yo estoy comiendo un sándwich.	*I am eating a sandwich.*

How is this done? We use the present tense of **estar** and the present participle (the verb ending in *-ing*). With **-ar** verbs, the present participle is formed by dropping the **-ar** ending of the infinitive and replacing it with **-ando**:

hablar *(to speak)*	**hablando** *(speaking)*
pasar *(to pass)*	**pasando** *(passing)*
bailar *(to dance)*	**bailando** *(dancing)*

The present participle of **-er** and **-ir** verbs is formed by dropping the **-er** or **-ir** ending of the infinitive and replacing it with **-iendo**:

comer *(to eat)*	**comiendo** *(eating)*
beber *(to drink)*	**bebiendo** *(drinking)*
vivir *(to live)*	**viviendo** *(living)*
escribir *(to write)*	**escribiendo** *(writing)*

Note that the present participle does not change, it is always the same.

Él está *bailando*.   **Ella está** *bailando*.   **Ellos están** *bailando*.

What is everyone doing now? Complete the sentences, changing each verb to the *-ing* form (**-ando, -iendo**)

EXAMPLE: Yo estoy (cantar)   **Yo estoy cantando.**

1. Mi hermana está (comprar) unos zapatos.

_____

2. Luis está (escuchar) música.

_____

3. Mi perro y yo estamos (correr) en el parque.

_____

4. El hombre está (vender) periódicos.

_____

5. Los pasajeros están (subir) al avión.

_____

6. Tú estás (escribir) un poema.

_____

7. Annette está (hablar) francés.

_____

8. Ustedes están (comer) enchiladas.

_____

9. Las chicas están (beber) una limonada.

_____

10. Los alumnos están (responder) en la clase.

_____

Actividad **D**

You are describing what everybody is doing in the classroom right now. Complete the sentences with the correct forms of the verb.

EXAMPLE:　la profesora / usar la computadora
La profesora está usando la computadora.

1. tú / escribir en la pizarra

_____

2. yo / abrir la ventana

_____

3. usted / cerrar la puerta

_____

4. ellos / mirar la pizarra

_____

5. Carlos / estudiar la lección

_____

6. ustedes / contestar una pregunta

_____

7. nosotros / aprender los verbos

_____

8. Juana / hablar con Rosa

_____

 Let's review the two verbs that mean to be. Repeat them aloud after your teacher:

ser			estar	
yo	soy	_I am_	yo	estoy
tú	eres	_you are_	tú	estás
Ud.	es		Ud.	está
él ella	es	_he is_ _she is_	él ella	está
nosotros nosotras	somos	_we are_	nosotros nosotras	estamos
Uds.	son	_you are_	Uds.	están
ellos ellas	son	_they are_	ellos ellas	están

Actividad **E**

Choose between forms of **ser** and **estar**. Underline the correct form.

1. Roberto (es, está) alegre hoy.
2. Mi abuelo (es, está) carpintero.
3. Yo (soy, estoy) cubana.
4. Ella (es, está) hablando por teléfono.
5. El agua (es, está) caliente.

6. ¿Cómo (son, están) Uds. hoy?
7. ¿(Son, Están) ellas abogadas?
8. ¿Dónde (son, están) tus cuadernos?
9. ¿(Es, Está) flaco el perro de Manuel?
10. Ustedes (son, están) enfermos.
11. La clase (es, está) visitando un museo.
12. Nosotros (somos, estamos) bien, gracias.
13. Mi primo (es, está) joven.
14. Las ciudades (son, están) grandes.
15. El médico (es, está) en el hospital.

Actividad F

Match the sentences with the correct pictures.

Ellas están escuchando música.
Mi gato Félix es gordo.
Laura está sentada en el sofá.
Mis tíos son muy ricos.

Pedro está en la tienda.
Yo soy bombero.
Tú estás buscando un libro.
Nosotros estamos cansados.

1. _____

2. _____

3. _____

4. _____

5. _____

6. _____

7. _____

8. _____

Actividad G

Elena is in Mexico and she is writing an e–mail to her parents about the people and things she saw. Complete the sentences with the correct forms of **ser** or **estar**.

TO: lospadres@SpisFun.com
CC:

Queridos Mamá y Papá:

La ciudad de México _____ inmensa. Los museos _____ muy interesantes.

Las pirámides que _____ muy grandes _____ cerca de la ciudad.

Mis amigos Mario y Raúl _____ estudiando en la universidad. Vivo con mi amiga Lorena

que _____ colombiana pero que ahora _____ viviendo en México.

La Tía Josefa _____ bien, _____ cansada de vivir en una ciudad grande y quiere

vivir en un pueblo pequeño.

Ahora yo _____ esperando correos electrónicos de ustedes y de mis amigos.

Besos y abrazos.

Elena

P.D. Yo _____ muy contenta pero necesito un poco de dinero.

Now read this story.

¡Qué problema!

Ana y su amiga Gabriela están hablando en la cafetería de la escuela.

ANA: Hola Gabriela ¿qué pasa? ¿Tienes un problema?

GABRIELA: Sí. Mi problema se llama Tomás. Él llama a mi casa constantemente.

ANA: ¿Qué quiere?

GABRIELA: Quiere salir conmigo.

conmigo *with me*

ANA: No comprendo. Tomás es un muchacho simpático y es muy guapo.

GABRIELA: Tomás no es interesante. Está siempre hablando de béisbol. ¡Es un fanático!

En ese momento llega Tomás.

en ese momento *just then*

TOMÁS: ¡Hola chicas! ¿Cómo están? Gabriela, ¿estás libre el sábado?

estar libre *to be free*

GABRIELA: No. Creo que no.

creo *I think*

TOMÁS: ¡Qué lástima!

GABRIELA: ¿Por qué? ¿Tienes entradas para el béisbol?

entradas *tickets*

TOMÁS: ¡Oh, no! Tengo dos entradas para el concierto de rock en el parque.

GABRIELA: ¿El concierto de rock? ¡Oh, Tomás, eres muy amable! Sí, estoy libre el sábado. ¡Vamos!

Actividad (H)

Complete the sentences based on the story you have just read.

1. Ana y Gabriela están _____ en la cafetería.

2. Ana quiere saber si Gabriela tiene un _____ .

3. El problema de Gabriela _____ Tomás.

4. Tomás está _____ constantemente a Gabriela.

5. Ana cree que Tomás es _____ y _____ .

6. Gabriela cree que Tomás no es _____ _____ .

7. Tomás siempre _____ _____ de béisbol.

8. Gabriela no está _____ _____ el sábado.

9. Tomás tiene dos _____ para el concierto de rock.

10. Ahora, Gabriela cree qué Tomás _____ muy amable y ella

_____ libre el sábado.

Para conversar en clase

1. ¿Qué problemas tienes tú? (en la escuela, en casa)

2. Cuando tienes un problema, ¿con quién hablas?

3. Generalmente, ¿cuándo sales con tus amigos?

4. ¿Adónde vas con tus amigos?

5. ¿Eres fanático de un deporte? ¿Cuál?

6. ¿Qué clase de música prefieres?

7. ¿Cuál es tu pasatiempo favorito?

8. ¿Te gustan las fiestas? ¿Por qué o por qué no?

9. ¿Cuál es tu clase favorita? ¿Por qué te gusta?

10. ¿Adónde deseas ir el sábado por la noche?

CONVERSACIÓN

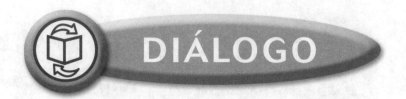

DIÁLOGO

Complete the following dialogue.

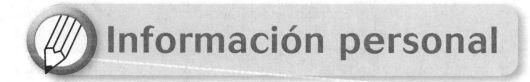

Información personal

Interview your partner. Take turns asking and answering the following questions.

1. ¿Cómo estás?

_____

2. ¿Qué estudias en la escuela?

_____

3. ¿Dónde estás ahora?

_____

4. ¿En qué clase estás contento (triste)?

_____

5. ¿Cómo es tu ciudad preferida?

_____

1. You are communicating with an Argentinean student on the Internet. Send him an e-mail and tell him about yourself. You may use some of the following words if you like.

- enfermo
- estudioso
- alto(-a)
- inteligente
- rubio(-a) / moreno(-a)
- popular
- romántico(-a)

EXAMPLE: **Yo soy alto(a) y moreno(a). Soy fanático(a) del fútbol americano.**

2. Look for article headings in Spanish newspapers or magazines that contain forms of **ser** and **estar**. Identify them and explain in your own words why each form was chosen over the other. If you do not have access to those materials in your town or city, you may look in the Internet, where you can find many publications in Spanish.

3. Paste photographs from magazines and write a caption for each picture saying as much as you can about the person or animal you chose (e.g., **La actriz se llama Michelle, es rubia y alta, está triste / alegre, está escribiendo un autógrafo...**).

Cápsula cultural

La «estrella brillante» del Caribe

Algunos la llaman «La Isla del Encanto». Los taínos (los nativos que vivían en la isla antes de la llegada de Cristóbal Colón en 1493) la llamaban «Borinquen».

la isla del encanto *the island of enchantment*

Originalmente los españoles nombraron la isla «San Juan Bautista» y el puerto principal «Puerto Rico».

el puerto *the port*

Pero cuando hicieron el mapa oficial, cometieron un error y cambiaron los dos nombres, llamando el puerto San Juan y la isla Puerto Rico. Por eso se llama así hasta hoy día.

cometieron un error *they made a mistake*

La capital fue fundada en 1521. Es la capital más vieja bajo la bandera americana. Millones de turistas visitan a Puerto Rico todos los años. Puedes visitar las calles antiguas del Viejo San Juan o pasar por la fortaleza «El Morro», donde los conquistadores españoles lucharon contra piratas como Sir Francis Drake.

fue fundada *was founded*

la fortaleza *the fortress*
lucharon *they fought*

Hoy día, San Juan es una ciudad moderna con rascacielos, hoteles y mucho que hacer. Cerca de San Juan está la famosa Playa de Luquillo con su arena blanca y sus palmeras. También puedes explorar el Yunque, un bosque tropical de

rascacielos *skyscrapers*
bosque tropical *tropical rainforest*

más de 28.000 acres o el Parque de las Cavernas del Río Camuy, que tiene uno de los ríos subterráneos más largos del mundo.

caverna *cave*
ríos subterráneos *underground rivers*

Con todo esto y más, ¡Puerto Rico es un paraíso tropical!

Comprensión

1. Los taínos llamaban a Puerto Rico _____.

2. Originalmente los españoles nombraron la isla _____ y el puerto _____.

3. La ciudad más Antigua bajo la bandera estadounidense es _____.

4. _____ es la fortaleza donde los españoles pelearon contra piratas.

5. El Parque de las Cavernas del Río Camuy contiene uno de los _____ más _____ del mundo.

Investigación

Work in groups. Make a tourist brochure of Puerto Rico. Describe all its attractions and tell why tourists should visit it. Include information about its history and some of the fun things visitors can do while visiting the island.

VOCABULARIO

entrada(s) *ticket(s)*
fatal *horrible, bad*
noche *night*

estar *to be* (temporary or location)
ser *to be* (permanent characteristic)

Creo que no. *I don't think so.*
Yo estoy bien. *I'm O.K.*
Estoy libre. *I'm off, free.*
Yo estoy triste. *I'm sad.*

12

¿Cuál es la fecha de hoy?

Days and Months

 Los días de la semana

FEBRERO						
LUNES	MARTES	MIÉRCOLES	JUEVES	VIERNES	SÁBADO	DOMINGO
1	2	3	4	5	6	7
8	9	10	11	12	13	14
15	16	17	18	19	20	21
22	23	24	25	26	27	28

NOTE: In Spanish, the days and the months are all masculine and are not capitalized. Also, note that in Spanish, the first day of the week is Monday.

Actividad A

Fill in the name of the day of the week.

1. m ____ ____ t ____ s

2. l ____ ____ ____ s

3. ju ____ ____ e ____

4. v ____ ____ r ____ ____ s

5. ____ o ____ ____ n ____ o

6. m ____ ____ r ____ o ____ e ____

7. ____ áb ____ d ____

Actividad B

Fill in the days before and after the day given.

1. _____ lunes _____

2. _____ miércoles _____

3. _____ viernes _____

4. _____ domingo _____

2 Mauricio and Orlando are watching a TV show about time and people's schedules. Read this dialogue and act it out in a small group.

Programa de TV: La semana tiene siete días: lunes, martes, miércoles, jueves, viernes, sábado y domingo. Cinco días son de trabajo. Los adultos trabajan y los niños estudian en la escuela. Hay clases todos los días menos el sábado y el domingo, el fin de semana.

MAURICIO:—¿Qué día es hoy?

ORLANDO:—Hoy es viernes, ¿por qué?

MAURICIO:—¡Qué bien! Si hoy es viernes, mañana es sábado.   **Si** *if*

ORLANDO:—Sí, mañana no hay clases. Es el fin de semana.

MAURICIO:—Yo sé. Mañana tengo un partido de fútbol y   **el partido** *game, match*
los domingos siempre voy al cine.   **voy** *I am going*

ORLANDO:—Pero el lunes hay un examen de español.

MAURICIO:—No importa. Mañana estudio en la biblioteca. Solamente necesito unas horas de estudio. ¡Yo soy muy inteligente!

ORLANDO:—Sí, y muy modesto también.

Actividad C

Complete the following sentences based on the dialogue you read.

1. Hay _____ días en una semana.

2. Los días de trabajo son _____ , _____ ,

_____ , _____ y _____ .

3. No hay clases el _____ y el _____ .

4. Mañana no hay _____.

5. Mauricio tiene un _____ mañana.

6. Todos los domingos, Mauricio _____.

7. El lunes, hay un _____.

8. Mauricio solo necesita _____ .

9. Mauricio cree que él es muy _____.

10. Orlando dice que Mauricio es _____.

You have probably noticed that with any day of the week (for example, **lunes**), you may say **el lunes**, **los lunes**, or simply **lunes**.

Look at these sentences:

El sábado hay una película excelente.   *Saturday there is an excellent movie.*
Los sábados voy al cine.   *Saturdays I go to the movies.*

> When referring to one specific day (On Monday, On Tuesday....) we use **el**.
>
> When referring to every Monday, Tuesday, etc., we say **los**.

But:

Hoy es jueves y mañana es viernes.   *Today is Thursday and tomorrow is Friday.*

After the verb **ser**, these articles (**el**, **los**) are omitted.

NOTE: Except for **domingo (domingos)** and **sábado (sábados)**, the days of the week have the same form in the singular and the plural.

Complete the following sentences in Spanish using **el, los,** or no article at all.

1. I practice baseball on Saturdays.   Practico béisbol _____ sábados.

2. Friday I have an exam.   _____ viernes tengo un examen.

3. I have guitar class on Mondays.   Tengo clases de guitarra _____ lunes.

4. Are you working Saturday?   ¿Trabajas _____ sábado?

5. Tomorrow is Friday.   Mañana es _____ viernes.

Actividad D

You are describing your weekly schedule to your Bolivian key pal. Complete the statements with the day of the week when each activity takes place.

1. Tengo clase de español_____ .

2. Voy al cine _____.

3. _____ tengo un partido de fútbol.

4. _____ tengo una clase de música.

5. _____ y _____ salgo con mis amigos.

---

3 Los meses

enero

febrero

marzo

abril

mayo

junio

julio

agosto

septiembre

octubre **noviembre** **diciembre**

Actividad E

Fill in the months before and after the month given.

1. _____ enero _____
2. _____ abril _____
3. _____ julio _____
4. _____ octubre _____

Actividad F

Below each picture, write the Spanish name for *one* of the months commonly associated with the activity shown. (In some situations, more than one month may be correct.)

1. _____ 2. _____ 3. _____

4. _____

5. _____

6. _____

7. _____

8. _____

9. _____

10. _____

11. _____

12. _____

Pronunciación

Letter	Pronunciation	English example of sound	Spanish examples
x	ks	soc<u>ks</u>	taxi, extraño

El taxista tiene una expresión extraña.

Read the following story.

Una conversación en la clase

Pablo es un niño de siete años. El señor Franco es el maestro de la clase.

el niño *boy*
el maestro *teacher*

SR. FRANCO: Buenos días, Pablito. ¿Cómo estás?

PABLITO: Muy bien, gracias, señor. ¿Y usted?

SR. FRANCO: Bien, gracias. Pablito, ¿sabes qué día es hoy?

PABLITO: Sí, señor. Hoy es lunes, el primer día de la semana.

primer *first*

SR. FRANCO: ¿Cuántos días tiene la semana?

PABLITO: La semana tiene siete días. Los sábados y los domingos no hay clases y no trabajamos.

SR. FRANCO: Bien. ¿Sabes, Pablito, cuáles son los meses del año y en qué mes estamos ahora?

¿cuáles? *which?*

PABLITO: ¡Claro! En un año hay doce meses: enero, febrero, marzo, abril, mayo, junio, julio, agosto, septiembre, octubre, noviembre y diciembre. Enero es el primer mes y diciembre es el último. Hoy es el cinco de marzo.

último *last*

SR. FRANCO: Muy bien. Y ahora, una pregunta difícil. ¿Sabes cuántos días hay en cada mes?.

¿cuántos? *how many?*

PABLITO: Eso no es difícil. Yo sé un poema que da la información:

Treinta días hay en septiembre,
Y en abril, junio y noviembre;
De veintiocho sólo hay uno,
Los demás de treinta y uno.

SR. FRANCO: ¡Estupendo! Tú sabes más que todos.

PABLITO: Yo sé. Es el segundo año que estoy en la clase.

segundo *second*

Answer the questions based on the previous conversation in complete sentences.

1. ¿Quién es el señor Franco?

_____

2. ¿Quién es Pablito?

_____

3. ¿Qué día es hoy?

_____

4. ¿Cuáles son los días de la semana?

_____

5. ¿Qué días de la semana no trabajamos?

_____

6. ¿Cuántos meses hay en un año?

_____

7. ¿Cuáles son los meses del año?

_____

8. ¿Cuál es el primer mes del año?

_____

9. ¿Qué mes tiene veintiocho días?

_____

10. ¿Por qué sabe Pablito más que todos?

_____

4   **¿Cuál es la fecha de hoy?** (What is today's date?)

Let's see how the date is expressed in Spanish. Look at the dates circled in the calendar **(el calendario)**.

ENERO								FEBRERO								MARZO				
lunes		6	13	20	27				3	10	17	24					3	10	17	24	31
martes		7	14	21	28				4	11	18	25					4	⑪	18	25	
miércoles	1	8	15	22	29			⑤	12	19	26					5	12	19	26	
jueves	2	9	16	23	30			6	13	20	27					6	13	20	27	
viernes	3	10	17	24	31			7	14	21	28					7	14	21	28	
sábado	4	11	18	25			1	8	15	22				1		8	15	22	29	
domingo	5	12	19	26			2	9	16	23				2		9	16	23	30	

ABRIL								MAYO								JUNIO				
lunes		7	14	21	28				5	12	19	26					2	9	16	23	30
martes	1	8	15	22	29				6	13	20	27					3	10	17	24	
miércoles	2	9	16	23	30				7	14	21	28					4	11	18	25	
jueves	3	10	17	24			1		8	⑮	22	29					5	12	19	26	
viernes	4	11	18	25			2		9	16	23	30					6	13	20	27	
sábado	5	12	19	26			3		10	17	24	31					7	14	21	28	
domingo	6	13	20	27			4		11	18	25					1	8	15	22	29	

JULIO								AGOSTO								SEPTIEMBRE				
lunes		7	14	21	28				4	11	18	25			1		8	15	22	29	
martes	1	8	15	22	29				5	12	19	26			2		9	16	23	30	
miércoles	2	9	16	23	30				6	13	20	27			3		10	17	24		
jueves	3	10	17	24	31				7	14	21	28			4		11	18	25		
viernes	4	11	18	25			1		8	15	22	29			5		12	19	26		
sábado	5	12	19	26			2		9	16	23	30			6		13	20	27		
domingo	6	13	20	27			3		10	17	24	㉛			7		14	21	28		

OCTUBRE								NOVIEMBRE								DICIEMBRE				
lunes		6	13	20	27				3	10	17	24			①		8	15	22	29	
martes		7	14	21	28				4	11	18	25			2		9	16	23	30	
miércoles	1	8	15	22	29				5	12	19	26			3		10	17	24	31	
jueves	2	9	16	23	30				6	13	20	27			4		11	18	25		
viernes	3	10	17	24	31				7	14	21	28			5		12	19	26		
sábado	4	11	18	25			1		8	15	22	29			6		13	20	27		
domingo	5	12	19	26			2		9	16	23	30			7		14	21	28		

FEBRERO					
lunes		3	10	17	24
martes		4	11	18	25
miércoles		⑤	12	19	26
jueves		6	13	20	27
viernes		7	14	21	28
sábado	1	8	15	22	
domingo	2	9	16	23	

MARZO					
lunes		3	10	17	24	31
martes		4	⑪	18	25	
miércoles		5	12	19	26	
jueves		6	13	20	27	
viernes		7	14	21	28	
sábado	1	8	15	22	29	
domingo	2	9	16	23	30	

Es el cinco de febrero.
Es miércoles, cinco de febrero.

Es el once de marzo.
Es martes, once de marzo.

MAYO					
lunes		5	12	19	26
martes		6	13	20	27
miércoles		7	14	21	28
jueves	1	8	⑮	22	29
viernes	2	9	16	23	30
sábado	3	10	17	24	31
domingo	4	11	18	25	

Es el quince de mayo.
Es jueves, quince de mayo.

AGOSTO					
lunes		4	11	18	25
martes		5	12	19	26
miércoles		6	13	20	27
jueves		7	14	21	28
viernes	1	8	15	22	29
sábado	2	9	16	23	30
domingo	3	10	17	24	㉛

Es el treinta y uno de agosto.
Es domingo, treinta y uno de agosto.

DICIEMBRE					
lunes	①	8	15	22	29
martes	2	9	16	23	30
miércoles	3	10	17	24	31
jueves	4	11	18	25	
viernes	5	12	19	26	
sábado	6	13	20	27	
domingo	7	14	21	28	

Es el primero de diciembre.
Es lunes, primero de diciembre.

NOTE: The first day of the month is always expressed as **primero de.**

Para conversar  en clase

With a partner, take turns asking and giving the dates for each of the holidays.

EXAMPLE: **¿Cuándo celebramos el Día de los Presidentes** (*President's Day*)**?**
Celebramos el Día de los Presidentes en febrero.

La Pascua Florida (*Easter*)

El Día de la Madre (*Mother's Day*)

El Día de Acción de Gracias
   (Thanksgiving)

El Día de la Raza (*Columbus Day*)

Now take turns asking and giving the *date* we celebrate each of these holidays.

EXAMPLE: **¿Cuándo celebramos la Noche de Brujas** (*Halloween*)**?**
Celebramos la Noche de Brujas el treinta y uno de octubre.

El Año Nuevo (*New Year's day*)

El Día de San Valentín (*Valentine's Day*)

El Día de la Independencia
   (*Independence Day*)

La Navidad (*Christmas*)

These are your friends' birthdays. Express them in Spanish.

EXAMPLE: (Federico) May 5
El cumpleaños de Federico es el cinco de mayo.

1. (Rogelio) November 20
2. (Beatriz) April 11
3. (Cristina) September 25

4. (Eloy) January 1
5. (Rosario) December 18
6. (Jorge) July 13

Vocabulario

eso *that*   **por supuesto** *of course*
tanto *so much*

You are the second person in the dialog. Complete it with appropriate answers of your own.

Información personal

Interview your partner. Take turns asking and answering the following questions.

1. ¿En qué mes celebras tu cumpleaños?

   _____

2. ¿Cuáles son los meses de vacaciones de la escuela?

   _____

3. ¿Qué haces *(do)* los sábados?

   _____

4. ¿Qué haces los miércoles?

   _____

5. ¿A qué hora sales de la casa los lunes?

   _____

6. ¿Cuál es tu día favorito de la semana y por qué?

_____

7. ¿Cuál es tu mes favorito y por qué?

_____

8. ¿Cuál es tu día más ocupado de la semana? ¿Por qué?

_____

9. ¿En cuál mes te gusta más el tiempo (*the weather*)?

_____

10. ¿Cuál es tu día festivo favorito? ¿Por qué?

_____

Give the dates in Spanish for these important events. Add any other events you wish.

EXAMPLE: **Mi cumpleaños es...**

your birthday	New Year's Day
Christmas	your mother's birthday
Thanksgiving	your father's birthday
Independence Day	the last day of classes

Cognate Connection

Spanish (along with such major European languages as French, Italian, Portuguese, and Romanian) is called a Romance language because it is derived from Latin, the language spoken by the Romans.

Since more than half of all English words are also derived from Latin, there is an important relationship between Spanish and English vocabulary, with large numbers of words being related or *cognate*.

More importantly, the portion of our English language coming from Latin includes most of our *hard* words, words that are complex or scientific.

Here are some examples of how these languages relate to one another:

LATIN	SPANISH	FRENCH	ITALIAN	ENGLISH COGNATE
mater (mother)	**madre**	**mére**	**madre**	**maternal** (motherly)
carnis (meat)	**carne**	**chair**	**carne**	**carnivorous** (meat-eating)
veritas (truth)	**verdad**	**vérité**	**verità**	**verify** (establish truth)
malus (bad)	**malo**	**mal**	**malo**	**malice** (ill will)
juvenis (young)	**joven**	**jeune**	**giovane**	**juvenile** (youthful)
unus (one)	**uno**	**un**	**uno**	**unilateral** (one-sided)
dormire (to sleep)	**dormir**	**dormir**	**dormire**	**dormant** (inactive)
legere (to read)	**leer**	**lire**	**leggere**	**legible** (readable)

In succeeding lessons, we will explore more of the fascinating relationship between the English and Spanish languages.

Cápsula cultural

El calendario azteca

¿Cuántos meses tiene el año? La respuesta depende del calendario que usas.

Los mayas crearon un calendario que es considerado el sistema más exacto del mundo. Observando el cielo concluyeron que el tiempo es una serie de ciclos repetidos. Los ciclos incluyen:

la Tierra, que se mueve en su eje circular (un día)
la Luna, que se mueve alrededor de la Tierra (un mes)
la Tierra, que se mueve alrededor del Sol (un año)

Por eso dividieron el año en 13 ciclos lunares y multiplicaron por 28 días (la duración de un ciclo) para llegar a un año de 364 días.

Los aztecas adoptaron el concepto de los mayas y crearon un año de 365 días. Dividieron el año en 18 semanas de 20 días cada una, con 5 «días de mala suerte» al fin del año. También usaban un calendario sagrado de 260 días para predecir el futuro. Los primeros dos días de los dos calendarios coinciden cada 52 años. Este ciclo de 52 días era muy importante para los aztecas. Temían el fin del mundo en ese día.

Toda esta información está grabada en la gran piedra del sol azteca. Está en el Museo de Antropología de la Ciudad de México. ¡Hay que verla!

crearon *created*
el cielo *the sky*
  concluyeron *they concluded*
el ciclo *cycle*
  incluyen *include*
eje *axis*
alrededor *around*

dividieron *they divided*
  multiplicaron por *they multiplied*

mala suerte *bad luck*
sagrado *sacred*
predecir el future *predict the future*
coinciden *they coincide*
fin del mundo *end of the world*

grabada *recorded*
hay que verla *it's a must see!*

Comprensión

1. Los mayas observaron que el tiempo es una serie de _____.

2. Los mayas dividieron el año en _____ ciclos lunares para llegar a un año de _____ días.

3. Los aztecas adoptaron el concepto de los maya y crearon un año de _____ días.

4. Los primeros dos días de los dos calendarios coinciden cada _____ años. Temían el _____ en ese día.

5. La gran piedra del sol azteca está en el Museo de Antropología en _____.

Investigación

Work in groups. Find the meaning of some of the symbols (hieroglyphs) of the Aztec Calendar. Make one, using colored paper pasted together to represent the symbols and hieroglyphs of the stone. Explain the symbols to the class.

VOCABULARIO

lunes *Monday*	**enero** *January*	**julio** *July*
martes *Tuesday*	**febrero** *February*	**agosto** *August*
miércoles *Wednesday*	**marzo** *March*	**septiembre** *September*
jueves *Thursday*	**abril** *April*	**octubre** *October*
viernes *Friday*	**mayo** *May*	**noviembre** *November*
sábado *Saturday*	**junio** *June*	**diciembre** *December*
domingo *Sunday*		

el día *day*	**primero** *first*
la fecha *date*	**segundo** *second*
el fin de semana *weekend*	**semana** *week*
hoy *today*	**último** *last*

Repaso III

Lección 9

The verb **ser** is an irregular verb that means **to be**. Memorize all its forms:

yo	soy	nosotros ⎫ somos
		nosotras ⎭
tú	eres	Uds. son
Ud.	es	
él ⎫ es	ellos ⎫ son
ella ⎭	ellas ⎭

Lección 10

a. To conjugate an **-ir** verb, drop the **-ir** from the infinitive and add the appropriate endings:

EXAMPLE: **abrir**

If the subject is	yo	add	o	to the remaining stem:	abro
	tú		es		abres
	Ud.		e		abre
	él		e		abre
	ella		e		abre
	nosotros		imos		abrimos
	nosotras		imos		abrimos
	Uds.		en		abren
	ellos		en		abren
	ellas		en		abren

b. The verb *salir* (**to leave, to go out**) has an irregular **yo** form (**yo salgo**) and is followed by **de** before the name of the place you are leaving:

Yo salgo de la escuela a las tres.

The combination **de** + **el** forms the contraction **del**:

Salimos *del* **teatro a las cinco.**

c. Other verbs with irregular **yo** forms:

dar	*yo doy*	saber	*yo sé*
poner	*yo pongo*	traer	*yo traigo*

Lección 11

a. In Spanish, there is a second verb meaning to be: **estar**. Some forms of **estar** are irregular and must be memorized:

yo	estoy	nosotros	} estamos
tú	estás	nosotras	
Ud.	está	Uds.	están
él ella	} está	ellos ella	} están

b. **Ser** is used:

1. to express a permanent characteristic or to identify a subject:

Pedro *es* **español**
El hombre *es* **joven.**
La señora *es* **abogada.**

2. to express time and dates:

¿Qué hora *es*? —Es la una.
Es **el treinta de enero.**
Hoy *es* **martes, treinta de enero.**

c. **Estar** is used when referring to location and when describing a temporary condition (which can quickly change):

¿Dónde *está* **Roberto?**
La niña *está* **bien.**
Estamos **muy contentos.**

Lección 12

LOS DÍAS	LOS MESES	
lunes	enero	julio
martes	febrero	agosto
miércoles	marzo	septiembre
jueves	abril	octubre
viernes	mayo	noviembre
sábado	junio	diciembre
domingo		

Actividad **A**

Acróstico. Fill in the Spanish words, then read down the boxed column to find the mystery word.

1. tenth month   —— —— —— —— —— —— ——

2. sixth day   —— —— —— —— ——

3. hot   —— —— —— —— —— —— ——

4. to be   —— —— —— ——

5. sixth month   —— —— —— —— ——

6. tired   —— —— —— —— —— —— ——

7. to open   —— —— —— —— ——

8. cold   —— —— —— ——

9. sad   —— —— —— —— —— ——

10. eighth month   —— —— —— —— —— ——

Unscramble these days of the week. Then unscramble the letters in the circles to find out how the students go to school every day.

SELUN

SENRIEV

ADBOSÁ

TAMSER

ESJEVU

GIMODON

SILOCREMÉ

Solución:

Actividad C

Buscapalabras. Circle the eighteen words hidden in the puzzle and list them below. The words may be read from left to right, right to left, or up and down.

```
E   N   E   R   O   L   A   O   R   M
V   A   O   C   T   U   B   R   E   I
I   O   D   B   S   N   R   S   N   É
E   G   A   C   O   E   I   E   O   R
R   N   B   D   G   S   L   V   P   C
N   I   Á   M   A   R   T   E   S   O
E   M   S   A   Í   R   F   U   I   L
S   O   E   R   F   G   H   J   J   E
N   D   R   Z   R   A   T   S   E   S
M   A   Y   O   L   V   I   V   I   R
```

7 days

_____
_____
_____
_____
_____
_____
_____

6 months

_____
_____
_____
_____
_____
_____

4 verbs

_____
_____
_____

1 adjective

_____

Actividad **D**

Verb Game. Here are some pictures of people doing things. Describe each picture following the clues given.

1. El cartero _____ las cartas.

2. Los gatos _____ al árbol.

3. Yo le _____ el lápiz a Juan.

4. Ud. _____ la puerta del automóvil.

5. Mi madre _____ flores.

6. Tú _____ un problema en _____ .

7. La niña _____ en el sofá.

8. Nosotros _____ del cine.

Crucigrama.

1.			2.				3.		4.
		5.				6.			
7.						8.			
				9.					
			10.						11.
12.		13.					14.		
	15.								
	16.					17.	18.		
19.							20.		
					21.				
22.									

HORIZONTALES

1. happy, satisfied (f.)
5. (you) know
7. three
8. water
10. (I) put
12. (s/he) gives
13. indefinite article
14. (s/he) sees
15. (you) read
17. thing
19. mailman
20. in, on
21. (s/he) looks at
22. tired

VERTICALES

1. singing
2. aunts
3. contraction
4. cold
5. to be
6. (I) leave, go out
9. (s/he) puts
10. doors
11. weeks
16. house
17. (I) eat
18. to be

Actividad F

Picture story. Can you read this story? Much of it is in picture form. When you come to a picture, read it as if it were a Spanish word.

Es el mes de . Es viernes, el último día de clases. Lupita, una

 de 9 años, no está en la ; está en . ¡Pobre

Lupita! Ella está muy hoy; no está . Ella no tiene mucho

apetito. La de Lupita prepara una deliciosa, pero Lupita

no desea . Ella tiene muchos y   , pero no

desea . Lupita está muy enferma. Ella no desea mirar la

y no desea escuchar . Entra el doctor González. Es un

inteligente y bueno. «Lupita, tienes que tomar una y beber mucha

 . Mañana no hay clases. Es sábado».

Spanish-English Vocabulary

The Spanish-English Vocabulary is intended to be complete for the context of this book.

Nouns are listed in the singular. Regular feminine forms of nouns are indicated by **(-a)** or the ending that replaces the masculine ending: **abogado(-a)** or **alcalde(-esa)**. Irregular noun plurals are given in full: voz *f.* voice; *(pl.* **voces)**. Regular feminine forms of adjectives are indicated by **-a**.

ABBREVIATIONS

adj.	adjective	*m. & f.*	masculine or feminine
f.	feminine	*pl.*	plural
inf.	infinitive	*sing.*	singular
m.	masculine		

A

a to, at; **a la dos** at 2 o'clock
abandonar abandon, leave
abierto, -a open
abogado(-a) lawyer
abrazar to hug
abreviar abbreviate
abril April
abrir to open
abuela *f.* grandmother
abuelo *m.* grandfather; **los abuelos** *m. pl.* *grandfathers;* grandparents
academia *f.* academy
accidente *m.* accident
aceite *m.* oil
aceituna *f.* olive; **aceituna negra** black olives
aceptar to accept
acre *m.* acre
acróstico *m.* acrostic
actividad *f.* activity
actor *m.* actor
actriz *f.* actress
acueducto *m.* aqueduct
además besides, in addition
adiós good-bye

adjuntar attach
adorable adorable
¿adónde? *(to)* where?; **¿adónde va Ud.?** where are you going?
aeropuerto *m.* airport
africano, -a African
agencia de viajes *f.* travel agency
agosto *m.* August
agradable *m. & f.* pleasant, nice
agua *f.* water
ahora now; **ahora mismo** right now
aire *m.* air
alegre *m. & f.* happy
alemán *m., (f.* **alemana)** German
alimento *m.* food, nourishment
allí there
almuerzo *m.* lunch
alrededor (de) around
alto, -a tall
alumno(-a) pupil, student
amable *m. & f.* kind, nice
amarillo yellow

ambulancia *f.* ambulance
América Central *f.* Central America
América del Sur *f.* South America
americano, -a American
amigo(-a) friend
anaranjado, -a orange *(color)*
andar to walk
animal *m.* animal; **animal doméstico** pet
antiguo, -a old, ancient
anuncio *m.* announcement; **anuncio publicitario** advertisement
año *m.* year; **tener... años** to be ... years old; **¿cuántos años tiene Ud.?** how old are you?
apagar turn off
apartamento *m.* apartment
apellido *m.* surname
apetito *m.* appetite
aprender to learn
aquí here
árbol *m.* tree; **árbol de Navidad** Christmas tree

archivar file, store
arena *f.* sand
Argentino(-a) Argentinian
aritmética *f.* arithmetic
arquitecto(-a) architect
arroz *m.* rice; **arroz con frijoles** rice and beans; **arroz con pollo** yellow rice with chicken
arte *m.* art
artificial *m. & f.* artificial
artista *m. & f.* artist
así so, therefore, thus; **así es la vida** that's life
asignatura *f.* subject
aspirina *f.* aspirin
astrofísica *f.* astrophysics
asunto *m.* subject
atención *f.* attention
atleta *m. & f.* athlete
atracciones *f. pl.* attractions; **parque de atracciones** *m.* amusement park
atractivo, -a attractive
auto(móvil) *m.* car, automobile
autobús *m.* bus
autógrafo *m.* autograph
avenida *f.* avenue
avión *m.* airplane
ayer yesterday
ayuda *f.* aid, help
ayudante *m. & f.* assistant
ayudar to help
azúcar *f.* sugar
azul *m. & f.* blue

B

bailar to dance
baile *m.* dance
bajo, -a low, short
baloncesto *m.* basketball
banana *f.* banana
bandera *f.* flag
baño *m.* bath
base *f.* base
basquetbol *m.* basketball
bebé *m. & f.* baby
beber to drink
bebida *f.* beverage, drink

béisbol *m.* baseball
beso *m.* kiss
biblioteca *f.* library
bicicleta *f.* bicycle
bien well; **está bien** all right
bienvenido, -a welcome
bilingüe *m. & f.* bilingual
biología *f.* biology
blanco, -a white
blando, -a soft
blusa *f.* blouse
bolígrafo *m.* pen
bolsa *f.* bag; **bolsa de plástico** *f.* plastic bag
bombero(-a) firefighter
bongo *m.* bongo
bonito, -a pretty, beautiful
bosque *m.* forest; **bosque tropical** tropical rainforest
botánico(-a) botanical
brasileño, -a Brazilian
bueno, -a good; all right, O.K.; ¡**buen viaje!** have a nice trip!; ¡**qué bueno!** how nice!; **buena suerte!** good luck!; **buenos días** good morning; **buenas tardes/noches** good evening/night
buscapalabras word find (game)
buscar to look for

C

caballo *m.* horse
cada each, every
café *m.* coffee; **café con leche** coffee with milk; **cafetería** coffee shop
calendario *m.* calendar
caliente *m. & f.* warm, hot
calor *m.* heat; **hacer calor** to be warm or hot *(weather)*; **tener calor** to be (=*feel*) warm or hot; **hace calor hoy** it's warm today; **tengo calor** I am warm
calle *f.* street
camarera *f.* waitress
camarero *m.* waiter

caminar to walk
campo *m.* country, field
canción *f.* song
cansado, -a tired
cantar to sing
Caribe *m.* Caribbean; **Mar Caribe** *m.* Caribbean Sea
carne *f.* meat
carpintero(-a) carpenter
carretera *f.* road
carro *m.* car, automobile
carta *f.* letter
cartero(-a) letter carrier
casa *f.* house, home; **en casa** at home
casi almost
castellano *m.* Castilian; Spanish language
castillo *m.* castle
catorce fourteen
causa *f.* cause
caverna *f.* cavern
celebrar to celebrate
célebre *m. & f.* famous
cena *f.* supper
centavo *m.* cent, penny
Centroamérica Central America
cerca de near
ceremonia *f.* ceremony
cereal *m.* cereal
cero zero
cerrado, -a closed
chica *f.* girl
chico *m.* boy
chileno, -a Chilean
chocolate *m.* chocolate
ciclo *m.* cycle
cielo *m.* sky
cien, ciento one hundred
ciencias *f. pl.* science; **ciencias sociales** social studies
científico(-a) scientist; also *adj.* scientific
cierto, -a true, right
cinco five
cincuenta fifty
cine *m.* movie theater; **ir al cine** to go to the movies

circular *m. & f.* circular
cita *f.* appointment
ciudad *f.* city
¡claro! of course
clase *f.* class; kind, type; **clase de español** Spanish class; **no hay clases hoy** there's no school today; **muchas clases de** many kinds of; **¿que clase de…?** what kind of… ?
cliente *m. & f.* customer
coche *m.* car, automobile
coincidir to coincide
color *m.* color
coma *f.* comma
combinación *f.* combination
comer to eat
comestibles *m. pl.* groceries; **tienda de comestibles** *f.* grocery store
cometer to make, commit; **cometer un error** to made a mistake
cómico, -a comic
comida *f.* meal; food
cómo how; **¿cómo estás?** how are you?; **¿cómo te llamas?** what's your name?
compartir to share
comprador(-a) buyer, customer, shopper
comprar to buy
comprender to understand
computadora *f.* computer
con with
concierto *m.* concert
concluir to conclude
conectar to connect
conmigo with me
conocer to know
consejero(-a) adviser
considerar to consider
consistir to consist
constante *m. & f.* constant
construir to build
contaminación *f.* contamination
contento, -a happy, glad

contestar to answer
contigo with you
conversación *f.* conversation
conversar to converse, to talk
coro *m.* choir
corridor *m.* corridor
correo *m.* post office; **correo electrónico** *m.* e-mail
corteza *f.* crust
correr to run
corto, -a short
cosa *f.* thing
costar to cost
costumbre *f.* custom
crear to create
creer to believe, think; **creo que sí** I think so; **creo que no** I don't think so
crucigrama *m.* crossword puzzle
cruel *m. & f.* cruel
cuaderno *m.* notebook, exercise book
¿cuál?, ¿cuáles? which?, what?
cuándo when; **¿cuando?** when?
¿cuánto? how much?; **¿cuantos?** how many?
cualquier any
cuarenta forty
cuarto *m.* quarter; **es la una y cuarto** it's a quarter past one *(o'clock)*, it's 1:15
cuatro four
cubano, -a Cuban
cubrir to cover
cuento *m.* story
cuerda *f.* rope
cuerpo *m.* body
cultura *f.* culture
cumpleaños *m.* birthday
curso *m.* course; **curso de verano** summer course

D

dar to give
de of, from; **de nada** you're welcome

débil *m. & f.* weak
dedicado, -a committed
dejar to leave
delicioso, -a delicious
delincuente *m. & f.* criminal, delinquent
demasiado too much; **demasiados, -as** too many
dentista *m. & f.* dentist
dentro within
depender to depend
dependiente *m. & f.* clerk *(in a store)*
deporte *m.* sport
desagradable *m. & f.* unpleasant, disagreeable
desayuno *m.* breakfast
describir to describe
descubrimiento *m.* discovery
descripción *f.* description
desear to wish; to want
después after
detective *m. & f.* detective
detrás de in back of, behind
día *m.* day; **buenos días** good morning; **día de fiesta** holiday; **todo el día** all day; **todos los días** every day; **Día de la Raza** Columbus Day
diálogo *m.* dialogue
diccionario *m.* dictionary
diciembre December
diez ten
diferente *m. & f.* different
difícil *m. & f.* difficult, hard
dinero *m.* money
dirección *f.* address
director, -a director; *school principal*
disco compacto *m.* CD
disculpar to excuse; **disculpe** excuse me
disfrutar to enjoy
distancia *f.* distance
distinguido, -a distinguished
distinto, -a different
diverso, -a diverse
divertirse to have fun

dividir to divide; **dividido por** divided by
doce twelve
doctor, -a doctor
dólar *m.* dollar
domingo *m.* Sunday
dominicano, -a Dominican; **La República Dominicana** *f.* Dominican Republic
¿dónde? where?
dormir sleep
dos two
dueño(-a) owner
duración *f.* duration
durante during
duro, -a hard

E

edad *f.* age
edificio *m.* building; **edificio de apartamentos** apartment building
editar to edit
educación física *f.* physical education
eje *m.* axis
ejemplo *m.* example
ejercicio *m.* exercise
electrodoméstico: aparato electrodoméstico *m.* electrical appliance
elefante *m.* elephant
ella *f.* she
ellos(-as) they
emergencia *f.* emergency
emocionante *m. & f.* exciting
empezar to begin
empleado(-a) employee
en in, on
encima (de) on top (of)
enero January
enfermero(-a) nurse
enfermo(-a) sick person, patient; also *adj.*: **enfermo, -a** sick, ill
enfermizo, -a infirm, sickly
enorme *m. & f.* enormous, huge
ensalada *f.* salad

enseñar to teach
entonces then; in that case
entrada *f.* ticket
entrar (en) to enter, to get in; **entrar en la clase** to enter *(come into)* the class
entre between
enviar to send
ese, -a, -o that; **eso es todo** that's all; **por eso** for that reason
escoger to choose
esconder to hide
escondido, -a hidden
escribir to write
escritorio *m.* desk
escuchar to listen *(to)*
escuela *f.* school
eso, -a that
español, -a Spanish; **el español,** *m.* Spanish language
especialmente specially
esperar to wait; to hope
esposa *f.* wife
esposo *m.* husband
esquina *f.* corner
este, -a this; **esta noche** tonight
establecer to establish
estadio *m.* stadium
Estados Unidos *m. pl.* United States
estar to be; **está bien** O.K., all right; **estar libre** to be free
estéreo *m.* stereo
estilo *m.* style
estómago *m.* stomach
estos, -as these
estrella *f.* star
estudiante *m. & f.* student
estudiar to study
estudio *m.* study
estudioso, -a studious
estupendo, -a great, fine
Euskadi *m.* Basque language
evitar to avoid
exactamente exactly

exacto, -a exact
examen *m. (pl.* **exámenes)** examination, test
excelente *m. & f.* excellent
exótico, -a exotic
exploración *f.* exploration
explorador (-ora) explorer
extracurricular *m. & f.* extracurricular
extranjero, -a foreign
éxito *m.* success

F

fácil *m. & f.* easy
familia *f.* family
famoso, -a famous
fanático(-a) fanatic
farmacia *f.* pharmacy, drugstore
fatal *m. & f.* fatal, horrible
favor *m.* favor; **por favor** please
favorito, -a favorite
febrero February
fecha *f.* date
feo, -a ugly
festival *m.* festival
festivo, -a festive
fiesta *f.* party; **día de fiesta** *m.* holiday
fin *m.* end; **al fin** at last; **finalmente** finally; **fin de semana** *m.* weekend
física *f.* physics
forma *f.* form
formato *m.* format
fortaleza *f.* the fortress
foto(grafía) *f.* photo, photograph
flaco, -a thin, skinny
flor *f.* flower
francés *m.,* **(f. francesa)** French
Francia *f.* France
frase *f.* phrase
freir to fry
fresco, -a fresh; **hace fresco** it's cool *(weather)*
frijoles *m. pl.* beans

frío *m.* cold; **hacer frío** to be cold *(weather);* **tener frío** to be (= *feel*) cold; **tengo frío** I'm cold; **estar frío** to be cold *(liquids or objects);* **el agua está fría** the water is cold

frito, -a fried

fruta *f.* fruit

frutería *f.* fruit store

fuente *f.* sources

fuera out

fuerte *m. & f.* strong

funcionar to work

fundar to found

fútbol *m.* soccer

fútbol americano *m.* American football

futuro *m.* future

G

gamba *f.* prawn

ganar to win; to earn

garaje *m.* garage

gasolina *f.* gas

gatito(-a) kitten

gato *m.* cat

gemelo(-a) twin

general: por lo general in general

genio *m. & f.* genius

gente *f.* people

geografía *f.* geography

geometría *f.* geometry

gigante *m. & f.* giant

gimnasio *m.* gym

gobierno *m.* government

gordo, -a fat

gorra *f.* cap

grabar to record; **grabado, -a** recorded

gracias thanks, thank you; **muchas gracias** thank you very much; **gracias a Dios** thank goodness

grado *m.* degree; grade

gran great

grande *m. & f.* big, large, great

gratis free (of cost)

gris gray

guardar to save

guerra *f.* war

guitarra *f.* guitar

gustar to please; **me gusta(n)** I like

gusto *m.* taste

H

haber there is

había there was

habilidad *f.* skill

habitante *m. & f.* inhabitant

hablar to speak, talk; **es hablar por hablar …** It's just talk …

hacer to do; to make; **hace buen tiempo** the weather is nice; **hace calor** it's warm *(hot);* **hace fresco** it's cool *(chilly);* **hace frío** it's cold; **hace mal tiempo** the weather is bad; **hace sol** it's sunny; **hace viento** it's windy; **¿qué tiempo hace?** how's the weather?

hambre *f.* hunger; **tener hambre** to be hungry; **matar el hambre** to kill one's hunger

hamburguesa *f.* hamburger

hasta until; **hasta la vista** I'll be seeing you, see you later; **hasta mañana** see you tomorrow; **hasta luego** see you later; **hasta pronto** see you soon

hay there is; there are; **no hay** there isn't, there aren't; **no hay clases hoy** there's no school today; **hay que saber** one must know; **hay que verla** it's a must see!

helado *m.* ice cream; **helado de vainilla** vanilla ice cream

hermana *f.* sister

hermano *m.* brother

hija *f.* daughter

hijo *m.* son; **hijos** *m. & f.* sons, sons and daughters

hispano, -a Hispanic

Hispanoamérica *f.* Spanish America

hispanoamericano(-a) Spanish-American person; *also adj.* Spanish American

historia *f.* history

hockey *m.* **hockey sobre césped** field hockey

hogar *m.* home

hoja *f.* leaf

hola hello

hombre *m.* man

hora *f.* hour; **¿qué hora es?** what time is it?; **es hora de** it's time to

horario *m.* schedule

horizontal *m. & f.* horizontal

horrible *m. & f.* horrible

hospital *m.* hospital

hostal *m.* hostel

hotel *m.* hotel

hoy today; **hoy día** nowadays

huevo *m.* egg; **huevos fritos** fried eggs; **huevos duros** hard-boiled eggs

I

idioma *m.* language

imperio *m.* empire

importar to matter; **no importa** it doesn't matter, never mind

importado, -a imported

importante *m. & f.* important

imposible *m. & f.* impossible

incluir to include

indígena *m. & f.* natives; also *adj.* indigenous

influencia *f.* influence

información *f.* information

informe *m.* report

ingeniero(-a) engineer

inglés *m.,* (*f.* **inglesa**) English person; also *m.* English language.

inmenso, -a immense, huge
insertar to insert
instituto *m.* institute;
  instituto de arte art institute
instrumento *m.* instrument;
  instrumento de cuerda
  stringed instrument
inteligente *m. & f.* intelligent
interesado, -a interested
interesante *m. & f.* interesting
investigación *f.* research
invitación *f.* invitation
invitar to invite
ir to go; **ir a pie** to walk, go
  on foot; **ir en auto(móvil), ir
  en coche** to go by car; **ir en
  autobús** to go by bus
isla *f.* island
italiano, -a Italian

J

jabón soap
japonés *m.,* (*f.* **japonesa**)
  Japanese
jardín *m.* garden; **jardín
  botánico** botanical garden
joven *m.* young person; also,
  m. & f. adj. young
juego *m.* game; match; **hacer
  juego** to match
jueves *m.* Thursday
julio *m.* July
junio *m.* June

K

kilómetro *m.* kilometer

L

lago *m.* lake
lámpara *f.* lamp
lápiz *m.* (*pl.* **lápices**) pencil
largo, -a long
lata *f.* can
latín *m.* Latin (language)
lavarse to wash off
lección *f.* lesson
leche *f.* milk
leer to read

legendario, -a legendary
legumbre *f.* vegetable
lejos de far from
lengua *f.* tongue; language;
  lenguas extranjeras foreign
  languages, world languages
lenguado *m.* sole
lento, -a slow
león *m.* lion
levantar to lift, raise;
  levantarse to get up
leyenda, *f.* legend
libra *f.* pound
libre *m. & f.* free
librería *f.* bookstore
libro *m.* book
ligero, -a light
lima *f.* lime
limite *m.* limit
limón *m.* lemon; **limonada** *f.*
  lemonade
limpiar to clean
limpio, -a clean
llamar to call; **¿cómo se llama
  Ud.?** what's your name?
llegar to arrive
llenar to fill; to fulfill
lleno, -a full
llevar to wear; to take
loco, -a crazy
lotería *f.* lottery
luchar fight
lugar *m.* place
luna *f.* moon
lunes *m.* Monday

M

madre *f.* mother
maestro(-a) teacher
magnífico great, wonderful
malo, -a bad; **estar malo,
  -a** to be ill, feel sick;
  mala suerte bad luck
mamá *f.* mom
mandar to send
mano *f.* hand
mantel *m.* tablecloth
mantener to maintain

mantequilla *f.* butter
mañana tomorrow; **de la
  mañana** A.M. in the morning
mapa *m.* map
mar *m.* sea, ocean
maracas *f. pl.* maracas
mariscada *f.* seafood casserole
mariscos *m. pl.* shellfish
marrón *m. & f.* brown
martes *m.* Tuesday
marzo *m.* March
más more; **más de, más
  que** more than
masa dough
matemáticas *f. pl.*
  mathematics
materia *f.* subject
mayo *m.* May
mayoría *f.* majority; most
mecánico, -a mechanical
media *f.* stocking; half;
  medianoche *f.* midnight
médico(-a) physician, doctor
medicina *f.* medicine;
  medication
medio, -a half; **es la una y
  media** it's half past one
  (*o'clock*)
mediodía *m.* noon
mejorar to enhance
menos minus; except
mensaje *m.* message; **mensaje
  de texto** *m.* text message
menú *m.* menu
mercado *m.* market; **mercado
  global** global market
merengue *m.* meringue
merienda *f.* snack
mes *m.* month
mesa *f.* table; desk
mexicano, -a Mexican
mezcla *f.* mix
mi, mis my
miembro *m. & f.* member
mientras (que) while
miércoles *m.* Wednesday
mío, -a, -os, -as mine
milla *f.* mile

millonario(-a) millionaire; also *adj.*
millón *m.* million
minuto *m.* minute
mirar to look (at); **mirar la televisión** to watch TV
mismo, -a same
misterio *m.* mystery
mochila *f.* backpack
moderno, -a modern
moneda *f.* coin, currency
mono(-a) monkey
monstruo *m.* monster
monstruoso, -a monstrous
monumento *m.* monument
moreno, -a brunette
mosca *f.* flies
mosquito *m.* mosquito
mostrar to show
motocicleta *f.* motorcycle
muchacha *f.* girl
muchacho *m.* boy
muchas gracias Thank you very much
mucho, -a a great deal (of), a lot (of); **muchos, -as** many
mujer *f.* woman
multilingüe *m. & f.* multilingual
multiplicar multiply
mundo *m.* world; **todo el mundo** everybody
museo *m.* museum
música *f.* music
muy very; **muy bien** very well

N

nacimiento *m.* birth
nación *f.* nation; **Naciones Unidas** United Nations
nacionalidad *f.* nationality
nada nothing; **de nada** you're welcome
naranja *f.* orange
nativo, -a native
Navidad *f.* Christmas; **Feliz Navidad** Merry Christmas!

necesario, -a necessary
necesitar to need
negro, -a black
nene, -a baby
niño, -a child
ningún none; **ningún otro** no other
no no; not
noche *f.* night; **buenas noches** good evening, good night; **esta noche** tonight; **todas las noches** every night
nombre *m.* name
normal *m. & f.* normal; **normalmente** normally
noroeste *m.* northwest
norte *m.* north
norteamericano, -a North American
nosotros(-as) we
nota *f.* note; mark, grade
novela *f.* novel
noventa ninety
noviembre *m.* November
nudo *m.* knot
nuestro, -a our
nueve nine
nuevo, -a new
número *m.* number; **número de telefono** telephone number
nunca never

O

o or
oasis *m.* oasis
objeto *m.* objects
observar to watch
octubre *m.* October
ocupado, -a busy
ocho eight
oficina *f.* office
ofrecer to offer
ojo *m.* eye
olla *f.* cooking pot
once eleven
opinión *f.* opinion
oportunidad *f.* opportunity

ordinario, -a ordinary, common
ornamento *m.* ornament
oro *m.* gold
ortografía *f.* spelling
otro, -a other, another

P

paciencia *f.* patience
paciente *m. & f.* patient
padre *m.* father; **padres** fathers; parents
paella *f.* paella
pagar to pay
pago *m.* payment
país *m.* country
palabra *f.* word
palito *m.* small stick
palmera *f.* palm tree
pan *m.* bread; **pan tostado** toast
pantera *f.* panther
papa *f.* potato; **papas fritas** french fries
papá *m.* father
papel *m.* paper
paquete *m.* package
par *m.* pair
para for; to, in order to; **para servirle** at your service
parada *f.* stop; **parada de autobús** bus stop
parecer to seem
pared *f.* wall
parque *m.* park; **parque de atracciones** *m.* amusement park
parte *f.* part
partido *m.* game, match
pasar to spend; to pass; to happen; **¿qué pasa?** what's the matter?
pastel *m.* pie
patio *m.* yard
pato *m.* duck
paz *f.* peace
pedazo *m.* piece
pedir to order; to ask

película *f.* film, movie
pequeño, -a small
perfecto, -a perfect;
 perfectamente perfectly
periódico *m.* newspaper
pero but
perrito *m.* puppy
perro(-a) dog
personas *f. pl.* people
peruano, -a Peruvian
pez *m.* fish *(live)*
peso *m.* weight
piano *m.* piano
pie *m.* foot; **ir a pie** to walk
piedra del sol Stone of the
 Sun
pintar paint
pintor(-a) painter
pintura *f.* painting
pirámide *f.* pyramid
pirata *m. & f.* pirate
pizarra *f.* blackboard,
 chalkboard
plancha *f.* iron
planta *f.* plant
plástico *m.* plastic
plato *m.* plate; dish
playa *f.* beach
plaza *f.* square, plaza
pluma *f.* pen
pobre *m. & f.* poor
pobrecito, -a poor little thing
poco, -a little *(in quantity)*;
 un poco de agua a little
 water
poco, -a a little, few
poder to be able to, can
poema *m.* poem
policía *m. & f.* police officer
pollo *m.* chicken
polvo *m.* dust
poner to put
popular *m. & f.* popular
por by, through, *(in exchange)*
 for; "times" (x); **dividido
 por** divided by; **por ciento**
 m. percent; **por ejemplo** for
 example; **por eso** for that
 reason; **por favor** please;

¿por qué? why?; **por
 supuesto** of course
porción *f.* portion
porque because
postre *m.* dessert
práctica *f.* practice
practicamente practically
practicar to practice
precio *m.* price; **a precios
 bajos** at low prices
predecir predict
preferido, -a preferred
pregunta *f.* question
preguntar to ask
preparar to prepare
preservar preserve
president, -a president
primo, -a cousin
primavera *f.* springtime
primer, primero, -a first
privado, -a private
probable probable, likely;
 probablemente probably
problema *f.* issue
producto *m.* product
profesor(-a) professor
programa *m.* program
pronto soon
público, -a public
pueblo *m.* town
puente *m.* bridge
puerta *f.* door
pues well, then
puerto *m.* port
punta *f.* tip
punto *m.* period
puro, -a pure

Q

que that; than; **más que** more
 than; **¿qué?** what? which?;
 ¿qué más? what else?; **¿qué
 tal?** how's everything?; **¡qué
 trabajo!** what a job!
querer to want
querido, -a dear
queso *m.* cheese
¿quién? (¿quiénes?) who?
química *f.* chemistry

quince fifteen
quizás maybe, perhaps

R

ración *f.* ration
radio *f.* radio
rapido, -a fast, rapid;
 rápidamente quickly
rascacielos *m.* skyscraper
ratón *m.* mouse
receso *m.* recess
recibir to receive; **recibir a** to
 welcome
recibo *m.* receipt
recomendar to recommend
reconocer to recognize
recordar remember
reflejar to reflect
refresco *m.* refreshment,
 soda
regalo *m.* gift, present
región *f.* region
regla *f.* ruler; rule
regresar to return, go back
regular regular, so-so
reino *m.* kingdom
relacionado, -a related
rellenar to fill
reloj *m.* clock; wristwatch
reparar to repair, fix
residencia *f.* home
respeto *m.* respect
resolver to solve
responder to respond,
 answer, reply
respuesta *f.* answer
restaurante *m.* restaurant
reunión *f.* reunion, gathering
revista *f.* magazine
rey *m.* king
rico, -a rich
ridículo, -a ridiculous
río *m.* river
riquezas *f. pl.* richess
ritmo *m.* rhythm
rojo *m.* red
romántico, -a romantic
ropa *f.* clothes, clothing
rosa *f.* rose

rosado, -a pink
rubio, -a blond
rueda *f.* wheel
ruido *m.* noise

S

sábado *m.* Saturday
saber to know; to know how
sacar to take out
sagrado, -a sacred
sal *f.* salt
sala *f.* hall
salir to leave, go out; **salir de la casa** to leave the house
salsa *f.* sauce
sándwich *m.* sandwich
secretario, -a secretary
secreto *m.* secret; also *adj.*, **secreto, -a**
segundo, -a second
seguridad *f.* security
seis six
selección *f.* selection
semana *f.* week
semanal weekly
sentir: lo siento I'm sorry
sencillo, -a single
señor *m.* man; Mr.
señora *f.* woman; Mrs.
señorita *f.* young woman; Miss
septiembre *m.* September
ser to be; also *m.* being
serie *f.* series
serio, -a serious
servicio *m.* service
servir to serve; **¿en qué puedo servirle(s)?** what can I do for you?; **para servirle** at your service
sesenta sixty
setenta seventy
si if; **sí** yes; **si quieres** if you want
siempre always
siete seven
significado *m.* meaning
siguiente next, following
silla *f.* chair

simpático, -a nice
sin without
sincero, -a honest
sobre on, on top of; about, regarding
sociable *m. & f.* sociable
sofá *m.* sofa
sol *m.* sun; **hace sol**
solamente only
solo, -a alone; **sólo** only
solución *f.* solution
sombrero *m.* hat
sorprendido, -a surprised
su, sus your, his, her, their
suave *m. & f.* soft
subir to go up; to climb
sucio, -a dirty
Sudamérica *f.* South America
suerte *f.* luck; **¡buena suerte!** good luck!
suéter *m.* sweater
suficiente enough
sufrir to suffer
supermercado *m.* supermarket
suyo, -a, his, hers, its, theirs, yours (*formal*)

T

también also, too
tampoco either
tango *m.* tango
tanto so much
tapar to cover
tarde late; **más tarde** later
tarde *f.* afternoon; **buenas tardes** good afternoon; **de la tarde** P.M., in the afternoon
tarea *f.* task, homework assignment
taxi *m.* taxi, cab
taza *f.* cup; **taza de café** cup of coffee
té *m.* tea
teatro *m.* theater
tecnología *f.* technology
teléfono *m.* telephone; **teléfono móvil** cellphone

televisión *f.* television; **mirar la televisión** to watch television
televisor *m.* TV set
temer fear
tender, -a storekeeper, grocer
tenedor *m.* fork
tener to have; **tener... años** to be ... years old; **tener calor** to be (= *feel*) warm, hot; **tener frío** to be (= *feel*) cold; **tener hambre** to be hungry; **tener razón** to be right; **no tener razón** to be wrong; **tener sed** to be thirsty; **tener sueño** to be sleepy; **tener suerte** to be lucky; **tener que +** *infinitive* to have to: **tengo que ir** I have to go; **tener ganas de** to feel like doing something
tenis *m.* tennis
tenis *m.* tennis (sports)
terrible *m. & f.* terrible
terror *m.* terror
tía *f.* aunt
tiempo *m.* time; weather; **¿qué tiempo hace?** how's the weather?; **hace buen (mal) tiempo** the weather is nice (*bad*)
tienda *f.* store
tierra *f.* earth
tigre *m.* tiger
tímido, -a shy
tinta *f.* ink
típicamente typically
típico, -a typical
título *m.* title
tiza *f.* chalk
todavía yet
todo everything; **todos** all (*of them*), everybody; **todo el día** all day (long); **todo el mundo** everybody; **todos los días** every day
tomar to take, to drink
tomate *m.* tomato

tonto, -a foolish, silly
tirar to throw
torta *f.* cake
tortilla *f.* tortilla; omelette
tostada *f.* toast; **tostada con mantequilla** buttered toast
total *m.* total
totalmente totally
trabajar to work
trabajo *m.* work
tradición *f.* tradition
traer to bring
tráfico *m.* traffic
traje *m.* suit; dress
tránsito *m.* traffic
transporte *m.* transportation
trece thirteen
treinta thirty
tren *m.* train
tres three
triste *m. & f.* sad
tropical *m. & f.* tropical
trozo *m.* piece; **trocito** *m.* little piece
tú you *(familiar);* **tú, tus** your *(familiar)*
turista *m. & f.* tourist
turrón *m.* nougat
tuyo, -a yours

U

último, -a last; **de última moda** the latest fashion
único, -a unique

universidad *f.* university; college
un, una a, one; **uno** *(number)* one; **unos** some, a few
usar to use
usted (Ud.) you *(formal singular);* **ustedes (Uds.)** you *(plural)*
útil useful

V

vaca *f.* cow; **came de vaca** beef
vacaciones *f. pl.* vacation
valer to be worth
¡vamos!, ¡vámonos! let's go!
vaqueros *m. pl.* jeans
variedad *f.* variety
vasco Basque language
vaso *m.* *(drinking)* glass
vegetales *m.* vegetables
veinte twenty
vendedor(-ora) salesperson
venir to come; **venir de** to come from
vender to sell
venta *f.* sale
ventana *f.* window
ver to see
verano *m.* summertime
verbo *m.* verbs
verdad *f.* truth; **es verdad** it's true; **¿verdad?** isn't it so?
verde *m. & f.* green

verduras *f. pl.* vegetables, greens *(used only in the plural)*
vertical *m. & f.* vertical
vez *f.* *(pl.* **veces)** time; **a veces** sometimes
videojuego *m.* videogame
viejo, -a old
viento *m.* wind; **hace viento** it's windy
viernes *m.* Friday
vino *m.* wine
violín *m.* violin
visitar to visit
víspera *f.* eve; **Víspera de Año Nuevo** New Year's Eve
vivir to live
vocabulario *m.* vocabulary

Y

yogur *m.* yogurt
y and; plus
yo I
yunque *m.* anvil

Z

zapato *m.* shoe
zoológico *m.* zoo
zorro *m.* fox

English-Spanish Vocabulary

A

a un, una
able capaz
about acerca de
above encima de, sobre
accent acento *m.*
accompanied acompañado, -a
accomplishment logro *m.*
according conforme
accurate exacto, -a
achieve lograr
to act actuar
action acción *f.*
activity actividad *f.*
actor actor *m.*
actress actriz *f.*
add añadir
additionally además
adjective adjetivo *m.*
admire admirar
adorable adorable *m. & f.*
advantage ventaja *f.*
affect afectar
after después
afternoon tarde *f.;* **good afternoon** buenas tardes
again de nuevo
agreed de acuerdo
air aire *m.*
airplane avión *m.*
airport aeropuerto *m.*
algebra álgebra *f.*
all todo, -a; todos, -as
almost casi
alone solo, -a; solas, -as
aloud en voz alta
already ya
also también
always siempre
ambulance ambulancia *f.*
American americano, -a; norteamericano, -a

among entre
amusement diversión *f.;* **amusement park** parque de atracciones *m.*
and y; **and you?** ¿y tú?
animal animal *m.*
another otro, -a; otros, -as
answer contestar, responder; respuesta *f.*
any cualquier
apartment apartamento *m.;* **apartment building** edificio de apartamentos *m.*
appear aparecer
appropriate apropiado, -a; apropriados, -as
April *m.* abril
arabic numeral número arábigo *m.*
are, equals son
arithmetic aritmética
around alrededor (de)
arrive llegar
art arte *m.*
article artículo *m.*
artificial artificial *m. & f.*
artist artista *m. & f.*
as well también
ask preguntar
associated asociado, -a; asociados, -as
at a; **at home** en casa; **at one o'clock** a la una; **at what time?** ¿a qué hora?; **at the house of** en casa de; **at your service** paara servirle
attorney abogado (-a)
August *m.* agosto
aunt tía *f.*
automobile automóvil *m.*
axis eje *m.*

B

baby nene(-a); bebé *m. & f.*
backpack mochila *f.*
bad mal; **bad luck** mala suerte *f.*
banana banana *f.*
bank banco *m.*
base base *f.*
basic básico, -a
baseball béisbol *m.*
basket cesta *f.*
be ser, estar; **to be cold** estar frío (= *feel cold*); tener frío; (*weather*) hacer frío; **to be warm** estar caliente; (= *feel warm*) tener calor; (*weather*) hacer calor; **to be hungry** tener hambre; **to be thirsty** tener sed; **be …years old** tener… años
bean frijol *m.*
beautiful bonito, -a
beber to drink
because porque; **because of** a causa de
become convertirse en
before antes
beginning comienzo *m.*
to behave portarse
behind detrás (de)
believe creer
belong pertenecer a
below debajo
benefit beneficio *m.*
best mejor *m. & f.*
between entre
bicycle bicicleta *f.*
big grande *m. & f.*
bill factura, cuenta
biology biología *f.*
birthday cumpleanos *m. sing. and pl.*
black negro, -a

blackboard pizarra *f.*
blank (en) blanco
blonde rubio, -a
blouse blusa *f.*
blue azul *m. & f.*
book libro *m.*
bookstore librería *f.*
both ambos
box caja *f.*
boy muchacho *m.*, chico *m.*
breakfast desayuno *m.;* **to have breakfast** comer el desayuno, desayunar
brief breve *m. & f.*
bring traer
broken roto, -a
brother hermano *m.;* **brother(s) and sister(s)** hermanos *m. pl.*
brown marrón, pardo, castaño, café; **brown eyes** ojos pardos
brunette moreno, -a
buddy amigo, -a
building edificio *m.;* **apartment building** edificio de apartamentos
bus autobús *m.;* **bus tickets** billetes de autobús *m. pl.*
but pero
butter mantequilla *f.*
buy comprar
by por

C

cab taxi *m.*
café café *m.*
calculus cálculo *m.*
calendar calendario *m.*
call llamar
can lata *f.*
candidate candidato(-a)
cap gorra *f.*
capitalized capitalizado, -a
car auto(móvil) *m.*, carro *m.*
card tarjeta *f.*
cardboard cartón *m.*
carefully cuidadosamente

carnivorous carnívoro, -a
case caso *m.*
cat gato(-a)
cave caverna *f.*
celebrate celebrar
cent centavo *m.*
cereal cereal *m.*
certain cierto, -a
chair silla *f.*
chalkboard pizarra *f.*
change cambio *m.*
characteristic característica *f.*
chart tabla *f.*
cheese queso *m.*
chicken pollo *m.*
child niño(-a)
children niños *m. pl.*
chilly: it is chilly hace fresco
chocolate chocolate *m.*
Christmas Navidad *f.;* **Christmas Eve** Nochebuena *f.*
circle círculo *m.*
city ciudad *f.*
class clase *f.;* **in class** en la clase
classmate compañero(-a) de clase
classroom (el) aula *f.*
clean limpio, -a
clear claro, -a
clock reloj *m.*
closed cerrado, -a
clothing, clothes ropa *f.*
club club *m.*
clue pista *f.*
coffee café *m.*
coin moneda *f.*
cold frío; **to be cold** estar frío; **feel cold** tener frío; (*weather*) hacer frío; **have a cold** tener un resfriado
collect recoger
color color *m.*
Columbus Day Día de la Raza
column columna *f.*
combine combinar
come llegar; **come up** subir

comic strip historietas *f. pl.*
comma coma *f.*
committed dedicado, -a
common común *m. & f.;* **commonly** comúnmente
communicate comunicarse
compare comparar
complete completo, -a
complex complejo, -a
computer computadora *f.*
concert concierto *m.*
condition condición *f.*
congratulations! ¡felicidades!
conjugation conjugación *f.*
connection conexión *f.*
considered considerado, -a
consist consistir
consonant consonante *f.*
contraction contracción *f.*
conversation conversación *f.*
cool fresco, -a; **it's cool** (*weather*) hace fresco
correct correcto, -a
correctly correctamente
cost precio *m.*
counselor consejero(-a)
count contar
country (*nation*) país *m.;* (*rural area*) campo *m.*
courtesy cortesía *f.*
cousin primo(-a)
cream crema *f.*
create crear
creator creador (*f.* creadora)
cross cruz *f.*
cup taza *f.;* **cup of coffee** taza de café
currency moneda *f.*
cycle ciclo *m.*
cyclist ciclista *m. & f.*

D

dance bailar; baile *m.*
date fecha *f.*
daughter hija *f.*
day día *m.*
December *m.* diciembre
decidir to decide
delicious delicioso, -a

dentist dentista *m. & f.*
derive derivar
describe describir
desk escritorio *m.*
dessert postre *m.*
determine determinar
diagonally diagonalmente
dialogue diálogo *m.*
dictionary diccionario *m.*
differently diferentemente
difficult difícil *m. & f.*
digit dígito
dinner cena *f.;* comida *f.*
dirty sucio, -a
disco(theque) discoteca *f.*
discover descubrir
discuss discutir
divide dividir; **divided
  by** dividido por
division división *f.*
do hacer; **do the homework**
  hacer la(s) tarea(s)
doctor doctor(-a); médico(-a)
dog perro *m.*
dollar dólar *m.*
Dominican
  Republic República
  Dominicana *f.*
done hecho, -a
door puerta *f.;* **the door is
  open (closed)** la puerta está
  abierta (cerrada)
dormant inactivo, -a
down abajo
drink beber; *also noun:* bebida *f.*
drop gota *f.*
during durante

E

each cada
ear oreja *f.;* **earache** dolor de
  oído
earn ganar
easy fácil; **easier** más fácil
eat comer; **eating** comiendo
Ecuador Ecuador *m.*
egg huevo *m.;* **fried
  eggs** huevos fritos; **hard-
  boiled eggs** huevos duros

eight ocho
eighteen dieciocho
eighty ochenta
either cualquiera de
  los dos
elegant elegante *m. & f.*
element elemento *m.*
elephant elefante *m.*
eleven once
e-mail correo electrónico *m.*
emergency emergencia *f.*
emphasize enfatizar
end fin *m.*
England Inglaterra
English inglés *m. (f.* inglesa);
  also adj.
enhance mejorar
enjoy disfrutar
emotional emocional
enter entrar; **to get in** entrar
equivalent equivalente *m. & f.*
error error *m.*
European europeo, -a
event evento *m.*
every cada; todos, -as;
  every day cada día; todos
  los días
everybody todo el mundo
everything todo
exact exacto, -a
exactly exactamente
examine examinar
example ejemplo *m.*
excellent excelente *m. & f.*
except excepto
exception excepción *f.*
exchange intercambio *m.;*
  exchange student estudiante
  de intercambio *m. & f.*
excuse me disculpe
express expresar
eye ojo *m.*

F

fact hecho *m.*
figure figura *f.*
false falso, -a
familiar familiar *m. & f.*
familiarly familiarmente

family familia *f.*
famous famoso, -a;
  célebre *m. & f.*
far (from) lejos (de)
fascinating fascinante *m. & f.*
fast rápido, -a; **faster** más
  rápido
fat gordo, -a
father padre *m.*
favorite favorito, -a
February *m.* febrero
feel sentir
feeling sentimiento *m.*
feminine femenino, -a
field hockey hockey sobre
  césped *m.*
fifteen quince
fifty cincuenta
figure out descifrar
fill llenar
fill in rellenar
find encontrar; **find
  out** averiguar
finish acabar, terminar
firefighter bombero(-a)
first primer, primero, -a
fish pez *m. (live);* pescado *m.*
  (caught)
five cinco
fortress fortaleza *m.*
flag bandera *f.*
floor suelo *m.;* **on the floor** en
  el suelo
fool tonto, a
flower flor *f.*
following siguiente
food comida *f.*
for para; **for example** por
  ejemplo
form forma *f.*
formal formal *m. & f.*
formally formalmente
formulate to formular
forty cuarenta
found fundar
founded fundado, -a
four cuatro
fourteen catorce
fox zorro, -a

French francés *m.*, (*f.* francesa);
also adj.: francés, -esa
Friday viernes *m.*
friend amigo, -a
friendly amable *m. & f.*
from de
front frente *m.*; **in front of**
en frente de, delante de
fruit fruta *f.*
fun diversión *f.*

G

garage garage *m.*
garden jardín *m.*
gender género *m.*
geometry geometría *f.*
german alemán *m.*,
(*f.* alemana)
gesture gesto *m.*
get conseguir; **get good
grades** sacar buenas notas;
get on subir a
girl muchacha *f.*, chica *f.*
give dar
glass vaso *m.*; **glass of
milk** vaso de leche
go ir; **go in** entrar en; **be
going to (do something)** ir
a + *inf.*: **I'm going to
read** voy a leer; **go up** subir;
go out salir
go fishing pescar
good bueno, -a; **good
morning** buenos días;
good afternoon buenas
tardes; **good evening (good
night)** buenas noches; **good-
bye** adiós
grade nota *f.*
grammar gramática *f.*
grandfather abuelo *m.*
grandmother abuela *f.*
grandparents
abuelos *m. pl.*
gray gris
great estupendo, -a
green verde *m. & f.*
greeting saludo *m.*
ground suelo *m.*

group grupo *m.*
gum goma *f.*

H

half mitad *f.*
half past pasada la media;
half-past the hour pasada
media hora
hamburger hamburguesa *f.*
hand mano *f.*
handsome guapo, -a
happen suceder
happy contento, -a; **to be happy**
estar contento, estar alegre
hard difícil; **work
hard** trabajar mucho
hat sombrero *m.*
have tener; **to have
lunch** comer el
almuerzo; **have to (do
something)** tener que + *inf.*
he él *m.*
hear escuchar
heat calor; **heated
up** calentado, -a
hello hola
help ayudar
helpful útil *m. & f.*
her su, sus, de ella
here aquí
hi hola
hide ocultar
hieroglyph jeroglífico *m.*
high school escuela
secundaria *f.*
his su, sus, de él
**Spanish
America** Hispanoamérica *f.*
history historia *f.*
holiday día de fiesta *m.*,
feriado *m.*
home hogar *m.*, casa *f.*; **be (at)
home** estar en casa
homework tarea *f.*
honest honesto, -a
horrible horrible *m. & f.*
hospital hospital *m.*
hot caliente *m. & f.*; **be
hot** estar caliente; **to feel**

hot tener mucho calor; **hot
weather** hacer mucho calor
hotel hotel *m.*
hour hora *f.*
house casa *f.*
how? ¿cómo?; **how are
you?** ¿como está usted?;
how much? ¿cuánto, -a?;
how many? ¿cuántos?; **how
much is it?** ¿cuánto cuesta?
hundred cien, ciento; **a
hundred dollars** cien
dólares
hunger hambre *f.*; **to be
hungry** tener hambre
husband esposo *m.*

I

I yo
ice cream helado *m.*
identify identificar
if si; **if you want** si quieres
illustration ilustración *f.*
imaginary imaginario, -a
immense inmenso, -a
impolite descortés *m. & f.*
importance importancia *f.*
important importante *m. & f.*
in en
include incluir
indefinite indefinido, -a
Independence Day Día de la
Independencia *m.*
infinitive infinitivo *m.*
infirm enfermizo, -a
information información *f.*
instantly instantáneamente
instead en lugar
intelligent inteligente *m. & f.*
interest interés *m.*
Internet Internet *m.*
interview entrevista *f.*
introduce introducir
inverted invertido, -a
involved envuelto, -a;
implicado, -a
island isla *f.*
it (*subject*) él; ella; **I like it** me
gusta

Italian italiano (language); *also adjective*: italiano, -a
Italy Italia *f.*
item artículo *m.*

J

January enero *m.*
join unirse
June junio *m.*

K

keep mantener
key clave *f.*
keypal amigo(-a)
kitten gatito *m.*
know saber; **to know how** saber + *inf.*

L

lake lago *m.*
lamp lámpara *f.*
landmark marca *f.*
language idioma *m.*
large grande *m. & f.*
last último, -a
late tarde
Latin latín (*language*) *m.*
lawyer abogado, -a
leaf hoja *f.*
learn aprender
least menos
leave salir
left izquierda *f.; also adj.* izquierdo, -a
legend leyenda *f.*
legible legible *m. & f.*
lemon limón *m.*
lesson lección *f.*
letter carta *f.*; **letter carrier** cartero(-a)
library biblioteca *f.*
life vida *f.*
like gustar; **I like** me gusta
likely probable
list lista *f.*
listed enumerado, -a
listen (to) escuchar
little (*size*) pequeño, -a; (*quantity*) poco, -a

live vivir; **to live in** vivir en
located situado, -a
location ubicación
locker armario
logically lógicamente
long largo, -a
look (at) mirar; **look carefully** mirar cuidadosamente
look for buscar
lost perdido(-a)
lot: a lot (of) mucho; **lots of** muchos
lottery lotería *f.*; **lottery tickets** boletos de lotería *m. pl.*
lunch almuerzo *m.*; **to have lunch** comer el almuerzo, almorzar

M

machine máquina *f.*
magazine revista *f.*
mail carrier cartero(-a)
make hacer; **make sure** asegurarse; **make up** hacer, compensar
malice malicia *f.*
man hombre *m.*
manners modales *m. pl.*
many muchos, -as
map mapa *m.*
March marzo *m.*
market mercado *m.*
marrón brown *m. & f.*
masculine masculino, -a
match partido *m.*
material material *m.*
maternal materno, -a
mathematics matemáticas *f. pl.*
matter: it doesn't matter no importa
May mayo *m.*
maybe quizás
meal comida *f.*
mean significar
meaning significado *m.*
means medio *m.*

meat carne *f.*
medical médico, -a
medicine medicina *f.*
member miembro *m.*
memorize memorizar
menu menú *m.*; carta *f.*
message mensaje *m.*; **text message** mensaje de texto *m.*
Mexican mexicano, -a
midnight medianoche *f.*
milk leche *f.*
minus menos
minute minuto *m.*
minute hand minutero *m.*
Miss señorita *f.*
mixture mezcla *f.*
moment momento *m.*
modern moderno, -a
Monday lunes *m.*
money dinero *m.*
more más
month mes *m.*
moon luna *f.*
morning mañana *f.*; **good morning** buenos días
mosquito mosquito *m.*
mother madre *f.*
movie película *f.*; **go to the movies** ir al cine; **movie theater** cine *m.*
Mr. señor *m.*
Mrs. señora *f.*
much mucho
multilingual multilingüe *m. & f.*
music música *f.*; **listen to music** escuchar música
my mi, mis
mystery misterio *m.*

N

name nombre *m.*; **what's your name?** (*familiar*) ¿cómo te llamas?, (*formal*) ¿cómo se llama Ud.?; **my name is** (yo) me llamo; **what's his (her) name?** ¿cómo se llama él (ella)?; **his (her) name is ...** se llama ...;

nationality nacionalidad *f.*
natural natural *m. & f.*
near cerca (de)
necessary necesario, -a
need necesidad *m. & f.*
negative negativo, -a
neighbor vecino(-a)
never nunca
new nuevo, -a; **New Year's Day** Año Nuevo *m.*; **New Year's Eve** Víspera de Año Nuevo *f.*
newspaper periódico *m.*
next próximo, -a; **next to** al lado de
nice buen, bueno, -a; (**person**) amable, simpático, -a
night noche *f.*; **good night** buenas noches
nine nueve
nineteen diecinueve
ninety noventa
no no
noise ruido *m.*
noon mediodía *m.*
note nota *f.*
notebook cuaderno *m.*
nothing nada
notice aviso *m.*
noun sustantivo *m.*
November noviembre *m.*
now ahora
number número *m.*; **telephone number** número de teléfono *m.*
numeral número *m.*
nurse enfermero(-a)

O

ocean mar *m.*
o'clock: la una; **at one o'clock** a la una; **it's one o'clock** es la una; **it's two o'clock (three o'clock, etc.)** son las dos (las tres, etc.)
obey obedecer
object objeto *m.*

observant observador, -ora
observation observación *f.*
observe observar
obvious obvio, -a
occupation ocupación *f.*
October octubre *m.*
of de
of course por supuesto, claro
offer ofrecer
office oficina *f.*
official oficial *m. & f.*
often a menudo
old viejo, -a; **how old are you?** ¿cuántos años tiene Ud.?; **I am fifteen years old** tengo quince años
omitted omitido, -a
on en, sobre; **on top of** sobre, encima de
one uno; **one hundred** cien, ciento; **one hundred dollars** cien dólares; **one must know** hay que saber
only solo, solamente
open abrir
opposite frente a; opuesto, -a
opinion opinión *f.*
or o
orange naranja *f.*; (**color**) anaranjado, -a; **orange juice** jugo de naranja *m.*
orangeade naranjada *f.*
ordinary ordinario, -a
other otro, -a
our nuestro, -a, -os, -as
out fuera, afuera; **out loud** en voz alta
outstanding sobresaliente *m. & f.*
over encima
overcome superar

P

pair par *m.*
pal amigo *m.*
paper papel *m.*
parentheses paréntesis *m.*
parents padres *m. pl.*

park parque *m.*
participle participio *m.*
particular particular *m. & f.*
partner socio(-a)
party fiesta *f.*
pass pasar
paste pasta *f.*
pass aprobar, calificar
pattern patrón *m.*
peace paz *f.*
pen pluma *f.*
pencil lápiz *m.*; lápices *pl.*
people gente *f.*
perfectly perfectamente
period punto *m.*
permanent permanente *m. & f.*
person persona *f.*
pet mascota *f.*
phone teléfono *m.*; **phone number** número telefónico
phrase frase *f.*
physical físico, -a
physical education educación física *f.*
physician médico(-a)
physics física *f.*
piano piano *m.*
pick recoger, elegir
picture foto(grafía) *f.*
place lugar *m.*
plan plan *m.*
plant planta *f.*
please por favor
plural plural *m.*
plus y
point punto *m.*
police officer policía *m. & f.*
poor pobre *m. & f.*
popular popular *m. & f.*
port puerto *m.*
portion porción *f.*
possible posible *m. & f.*
post office oficina de correo *m.*
potato papa *f.*, patata *f.*
poultry ave (de corral)
practice practicar

predict predecir; **predict the future** predecir el futuro
prepare preparar
preposition preposición *f.*
present presente *m.; also m. & f. adjective*: presente
pretty bonito, -a
previous previo, -a
price precio *m.*
probable probable *m. & f.*
problem problema *f.*
profession profesión *f.*
project proyecto *m.*
pronounce pronunciar
pronunciation pronunciación *f.*
proper apropiado, -a
probably probablemente
puppy perrito, -a
put poner
puzzle rompecabezas *sing. & pl.*

Q

quarter cuarto *m.;* **a quarter past one o'clock** la una y cuarto
question pregunta *f.;* **ask a question** hacer una pregunta
quickly rápidamente
quite bastante

R

rabbit conejo *m.*
radio radio *f.;* **listen to the radio** escuchar la radio
read leer
ready listo, -a
reason razón *f.*
recall recordar
receipt recibo *m.*
receive recibir
recognize reconocer
record registro *m.*
recorded grabado, -a
red rojo, -a
refer consultar

regarded considerado, -a
related relacionado, -a
relationship relación *f.*
remember recordar
rent renta *f.*
repeat repetir
replace reemplazar
report informe *m.*
require exigir, requerir
respect respeto *m.*
respond responder
response respuesta *f.*
restaurant restaurante *m.*
reveal revelar
review revisión *f.*
rich rico, -a
right bien; derecho, -a; **right now** ahora mismo
role papel *m.*
romance romance *m.*
rose rosa *f.*
ruler regla *f.*
run correr

S

sacred sagrado, -a
sad triste *m. & f.*
salt sal *f.*
same mismo, -a; **same way** de la misma manera
sandwich sándwich *m.*
Saturday sábado *m.*
say decir
scene escena *f.*
schedule horario *m.*
school escuela *f.;* **in school** en la escuela; **there's no school today** no hay clases hoy
science ciencias *f. pl.*
sea mar *m.*
season estación *f.*
seated sentado, -a
second segundo, -a
secretary secretario(-a)
see ver; **see you later** hasta la vista; **see you tomorrow** hasta mañana
seem parecer

sell vender
send enviar
sentence frase
September septiembre *m.*
sequence secuencia
seven siete
seventeen diecisiete
share compartir
seventy setenta
she ella *f.*
shoe zapato *m.*
should deber
sibling hermano, -a
sick enfermo, -a
silent silencioso, -a
silly tonto, -a
similar parecido, a
similarity similitud *f.*
since desde
sing cantar
singer cantante *m. & f.*
singular singular *m. & f.*
sir señor *m.*
sister hermana *f.*
situation situación *m.*
six seis
sixteen dieciséis
sixty sesenta
skill habilidad *f.*
skinny flaco, -a
skirt falda *f.*
sky cielo *m.*
skyscraper rascacielos *m. sing. & pl.*
slightly ligeramente
small pequeño, -a
so así; **so far** muy lejos; **so much** tanto; **so on** así sucesivamente
soccer futbol *m.*
social studies ciencias sociales *f. pl.*
sock calcetín *m.*
solution solución *f.*
some algunos, -as
someone alguien
something algo
sometimes a veces

song canción *f.*
son hijo *m.*
sound sonar; *also noun:*
  sonido *m.*
space espacio *m.*
Spain España *f.*
Spanish español, -a
Spaniard español, -a
speak hablar
spend (time) pasar; **(money)**
  gastar
split dividir
spy espía *m. & f.*
stadium estadio *m.*
star estrella *f.*
state estado *m.*
statement declaración *f.*
station estación *f.*
stereo estéreo *m.*
stick palo *m.*
store tienda *f.*
story historia *f.*
stranger desconocido, -a
street calle *f.*
strong fuerte *m. & f.*
student estudiante *m. & f.*
studious estudioso, -a
study estudiar
style estilo *m.*
su their
subject materia *f.*
substitute sustituto(-a)
subtract sustraer
succeed éxito *m.*
suffer sufrir
sugar azúcar *m.*
suitable adecuado, -a
summer verano *m.;* **summer**
  camp campamento de
  verano *m.*
sun sol *m.*
Sunday domingo *m.*
sunny: it's sunny hace sol,
  hay sol
supermarket supermercado *m.*
supper cena *f.;* **have**
  supper comer la cena
surprise sorpresa *f.*
syllable sílaba *f.*

symbol símbolo *m.*
system sistema *f.*

T

table mesa *f.*
take tomar; **take a closer**
  look mirar de cerca; **take**
  place tomar lugar
talk hablar
tall alto, -a
taxi taxi *m.*
tea té *m.*
teach enseñar
teacher (elementary
  school) maestro(-a); **(high**
  school) profesor(-a)
technique técnica *f.*
technology tecnología *f.*
teenager adolescente *m. & f.*
telephone teléfono *m.*
television televisión *f.;*
television set televisor *m.;*
  watch television mirar la
  televisión
tell decir
temporary temporal
ten diez
tennis tenis *m.*
tense tenso, -a
terminal terminal *f.*
terrible terrible *m. & f.*
test prueba *f.*
thanks: thank you gracias;
  thank you very
  much muchas gracias;
  Thanksgiving Day Día de
  Acción de Gracias *m.*
that eso, -a
the el; la
theater teatro *m.*
their su, sus, de ellos, de ellas
there allí; **there is/are** hay
therefore por lo tanto
thermos termo *m.*
they ellos, -as
thin flaco, -a
thing cosa *f.*
think pensar, creer
thirteen trece

thirty treinta
three tres
through por
throughout a lo largo de
thumb pulgar *m.*
thus así
ticket entrada *f.*
Thursday jueves *m.*
tie corbata *f.*
tiger tigre *m.*
time vez *f. (pl.* veces);
  (clocktime) hora *f.:* **at what**
  time? ¿a qué hora?; **what**
  time is it? ¿qué hora es?;
  times (x) por; **time of**
  day hora del día
tired: be tired estar cansado, -a
title título *m.*
today hoy
tomato tomate *m.*
tomorrow mañana
too demasiado, -a
tooth diente *m.*
topic tema *m.*
town pueblo *m.*
trade comercio *m.*
trait rasgo *m.*
transportation transporte *m.*
travel agency agencia de
  viajes *f.*
tree árbol *m.*
tropical tropical *m. & f.;*
  tropical rainforest bosque
  tropical *m.*
true verdadero, -a
Tuesday martes *m.*
turn turno *m.*
twelve doce
twenty veinte
two dos

U

ugly feo, -a
uncle tío *m.*
under debajo de
underground river río
  subterráneo *m.*
underline subrayar
understand comprender

unilateral unilateral
until hasta
United States Estados
  Unidos *m. pl.*
university universidad *f.*
unlike diferente
unscramble descifrar
until hasta
up arriba; **upside down** al
  revés
use usar
usually usualmente

V

Valentine's Day Día de San
  Valentín *m.*
vanilla vainilla *f.*; **vanilla ice
  cream** helado de vainilla *m.*
vegetable legumbre *f.*; **(plural
  only)** verduras *f. pl.*
verb verbo *m.*
verify verificar
version versión *f.*
very muy; **very warm** muy
  caliente; **I'm very
  warm** tengo mucho calor;
  it's very warm today hoy
  hace mucho calor; **very
  well** muy bien
visit visitar
vocabulary vocabulario *m.*
vowel vocal *f.*

W

waiter camarero *m.*
waitress camarera *f.*
walk ir a pie, andar
wall pared *f.*
want desear, querer
wanted deseado, -a,
  buscado, -a

warm caliente *m. & f.*; **the
  water is warm** el agua está
  caliente; **I am warm** tengo
  calor; **it's warm today** hoy
  hace calor
watch mirar; **watch out** tener
  cuidado; **watch out!** ¡ojo!
water agua *f.*
we nosotros, -as
weak débil *m. & f.*
weather tiempo *m.*; **how's the
  weather?** ¿qué tiempo hace?;
  the weather is bad hace
  mal tiempo; **the weather is
  nice** hace buen tiempo
Wednesday miércoles *m.*
week semana *f.*
weekend el fin de semana *f.*
weekly semanal *m. & f.*
welcome bienvenido, -a
welcome: you're welcome de
  nada
well bien
what? ¿qué?; **at what
  time?** ¿a qué hora?; **what's
  your name?** ¿cómo se
  llama Ud.?; **what is today's
  date?** ¿cuál es la fecha de
  hoy?; **what time is it?** ¿qué
  hora es?
when cuando;
  when? ¿cuándo?
where donde;
  where? ¿dónde?
whether cualquiera
which? ¿cuál?, ¿cuáles?
whichever cualquiera
while mientras que
white blanco, -a
who quien; **who?** ¿quién?,
  ¿quiénes?

why? ¿por qué?
whom quien
window ventana *f.*
wine vino *m.*
winter invierno *m.*
wish desear, querer
with con
within dentro
without sin
woman mujer *f.*; señora *f.*;
  young woman
  señorita *f.*
word palabra *f.*
work trabajo *m.*; **work
  hard** trabajar mucho
world mundo *m.*
write escribir
wrong incorrecto, -a

Y

y and
year año *m.*; **New Year's
  Day** Año Nuevo; **New
  Year's Eve** Víspera de Año
  Nuevo *f.*
yacht yate *m.*
yellow amarillo, -a
yes sí
yogurt yogur *m.*
you tú, usted (Ud.),
  ustedes (Uds.)
young joven *m. & f.*;
  (pl. jóvenes)
your tu, tus, su, sus, de Ud.,
  de Uds.
yourself tú/usted/Ud.
  mismo, -a

Z

zero cero
zoo (parque) zoológico *m.*

Grammatical Index

Topical Index